REMERCIEMENTS

Je remercie :

LaUna Huffines, pour son amour, son soutien et ses encouragements à la fois pour mes livres et dans tous les autres domaines de ma vie; elle a été une enseignante, une amie et une source d'inspiration. Je la remercie aussi pour la merveilleuse idée des Jeux et son introduction, ainsi que pour sa sagesse, sa clarté et son esprit bienveillant.

Duane Packer, Ph.D., pour ses soins, sa force et son amour; il m'a encouragée à être ce que je suis et m'a prodigué ses conseils éclairés et m'a aidée sans relâche pour chaque détail de ce livre.

Ed et Amerinda Alpern, pour avoir ouvert leur cœur et leur maison à Orin.

Que Rob reçoive ma gratitude pour ses fidèles encouragements. Je tiens à remercier ma sœur, Debra Ross, pour les inspirations artistiques qu'elle a canalisées et pour la foi qu'elle a mise dans mon travail. Je remercie mes quatre nièces et neveux, Elise, Mary, Tabatha et John, de m'avoir aidée à garder mon cœur ouvert par leur joie et leur vivacité infinies. Je tiens à remercier ma mère et mon père, Shirley et Court Smith, pour leurs encouragements et leur soutien dans mon travail.

Je remercie mon éditeur, Elaine Ratner, avec qui j'adorais travailler et qui me donnait toujours d'excellentes idées, Lois Landau pour son travail avisé de dactylographie, et Denise Nowacki et Pat La Force pour la patience qu'elles ont mise à transcrire les cassettes enregistrées d'Orin.

Je remercie Hal Kramer pour son soutien, sa conviction et son enthousiasme ainsi que pour avoir donné à ces livres une réalité.

Je remercie chacun des membres de la communauté qui étaient présents lors de la plupart des séances de contact avec mon guide spirituel, et qui permettaient de garder la vision du travail d'Orin : Rob Friedman et Stacey Mattraw, Nancy Mc Junkin, Richard Ryal, Wendy Grace, Scott Catamas qui organisait ses tournées en fonction des cours et qui a diffusé le travail d'Orin dans ce pays.

Karen La Puma pour son amitié et ses merveilleux conseils en astrologie;

Linda Johnston, M.D., qui recommande ce livre et les cassettes de méditation d'Orin à ses patients.

Jeff Abbott pour son amitié et pour m'avoir appris à utiliser mon ordinateur.

Cheryl Williams, Lisa Shara, Lisa Perry, Sara Mc Junkin, Jim Mannix, Phyllis Rooney, Adella Pickering Austin, Paulette SQt Martin, Mary Beth Braun, Felicia Morris, Sandy Chapin, Sallie Deutscher, Laura Gilpin, Sandy Hobson, Leah Warren, Colleen Hicks, Rachel Josepher, Lisa Benson, Kathy Albrecht, Linda Nielsen, Mary Pat Mahan, Honey Mannix, Cynthia Michalis, Margo Naslednikov, Craig Comstock, Trudie London, Sharon Mortensen, Rosemary Crane, Lynn Conwell, Loretta Ferrier et Jessica Beckman.

Je remercie tous ceux qui ont contribué au travail d'Orin à Dallas : Jean StMartin qui enseigne le travail d'Orin dans ses cours, Laurie Schmidt, Alan Amstrong, George et Sandra Pabich, Mark et Patty Dietz, Joan Wall, Philip Huffines, Donald Huffines, Mary Jo Thornton, Deborah De Berry, M.E. Grundman, Elisabeth Prince et Elaine Vopni.

Je tiens aussi à remercier Evelyn Taylor, Cindy Flaherty et Sebsebie Alemayehu, Shirley Runco et Diana Peart pour m'avoir encouragée dès le début. J'apprécie l'enthousiasme qu'Evelyn a mis pour être une présence efficace durant les enregistrements des entretiens avec Orin.

Table des matières

INTRODUCTION

De très nombreux artistes, écrivains, hommes d'affaires, athlè-
tes et musiciens ont raconté que leurs plus grandes oeuvres,
leurs plus grandes inventions ou inspirations, leur semblaient
être «reçues» d'une source située au-delà de la réalité habi-
tuelle. Les chercheurs ne reçoivent généralement pas leurs
idées intuitives alors qu'ils travaillent au bureau sur leurs
équations, mais durant leurs moments de détente — sous la
douche, en marchant le long de la plage, en pleine rêverie, etc...
Ce livre «Choisir La Joie» m'a été donné par une source de
sagesse que j'appelle Orin, alors que je me trouvais dans un
état de paix et de conscience élargie. J'ai reçu ces informations
au cours de séances de méditation, durant plusieurs mois. Les
états de paix ressemblaient à ce que nous expérimentons tous
lorsque nous sommes en harmonie avec notre Soi supérieur, en
regardant un coucher de soleil, en priant ou en tenant la main
d'un enfant. Nous avons tous vécu de tels moments au cours
de notre vie, plus particulièrement pendant des moments critiques, lorsque nous devenions soudainement conscients de
réponses ou de solutions qui nous étaient invisibles auparavant. Nous avons tous agi, une fois au moins, dans des
proportions qui dépassaient notre niveau habituel de sagesse,
notre force ou notre courage. Certaines personnes attribuent
ces moments à l'état particulier de leur conscience qui s'ouvre
alors à leur Soi supérieur, d'autres associent cela à une
guidance spirituelle. Ces moments d'inspiration ont été appelés «channeling» par certains, don de prophétie par d'autres, et
contact avec l'esprit universel par d'autres encore. Ma source
de guidance spirituelle s'appelle Orin. Je le vois comme un
maître m'enseignant par l'amour, la sagesse et la douceur, il

est toujours positif et plein de compassion.

Orin et moi-même, nous vous encourageons à lire ce livre pour la sagesse qu'il contient et non pour toute recommandation due à son origine. Trouvez dans ces pages ce qui sonne vrai pour vous. J'ai fait en sorte de rester aussi transparente que possible, afin de laisser cette sagesse s'écouler à travers moi sans qu'elle ne soit altérée par mes croyances ou mes pensées. Ce livre peut vous aider à libérer votre cœur et à épanouir vos potentialités qui sont vos droits de naissance. Ce livre est destiné à tous ceux qui s'intéressent aux nouvelles idées, pour la lumière qu'elles apportent dans leur vie. Pour ceux qui désirent connaître davantage sur Orin et sur le processus du contact du guide spirituel, je vous conseille de lire les deux premiers chapitres; sinon, vous pouvez commencer directement par le chapitre intitulé: «Vivre dans la joie».

Avec ce livre, je vous invite à élever votre esprit et à vous joindre à moi en choisissant la joie, l'abandon de toute lutte et l'ouverture des potentialités de votre force intérieure et de votre transformation spirituelle.

Sanaya Roman

1

LA PREMIERE MANIFESTATION

D'ORIN

Les gens me demandent souvent si j'ai toujours su que je disposais de facultés psychiques. Je suis consciente d'avoir eu des expériences psychiques vers l'âge de dix ans et aussi lorsque j'avais environ vingt ans. Au début, je ne savais pas comment maîtriser et diriger ces éclairs d'intuition ou ces états élevés de la conscience dont je faisais l'expérience. Certaines de ces expériences semblaient très troublantes; ainsi, il m'est arrivé de conduire pendant 200 km, de Portland à Eugène, dans un état de conscience bien particulier. J'avais à l'époque 18 ans et j'entrais à l'Université d'Orégon. Durant tout le trajet qui m'y conduisait, je pouvais sentir les pensées et les sentiments de chacun des passagers des voitures que je doublais. Fait encore plus troublant, le réservoir d'essence de ma voiture, qui aurait dû être presque vide, était encore plein lorsque j'arrivais à Eugène.

Je fis mes premières découvertes de ces états différents de la réalité au travers des livres de science-fiction que je lisais avec avidité lorsque j'étais écolière. Je me souviens d'avoir lu tous les livres que je pouvais trouver sur le temps, l'espace et les probables réalités, particulièrement ceux qui exploraient les meilleures façons de vivre ensemble en société, comme par exemple le livre «2150» de Thea Alexander. Je rêvais souvent que j'avais une machine originale, une machine à explorer le temps et l'espace, grâce à laquelle je pouvais visiter d'autres planètes et d'autres formes de vie, retourner dans le passé et aller vers le futur, et découvrir les réalités probables où l'humanité avait expérimenté différentes options. Mais ce que je voulais surtout, c'était explorer les royaumes intérieurs du psychisme et partir à l'aventure, non pas vers d'autres contrées, mais vers d'autres réalités. Une des plus grandes joies que m'ait procuré le fait de «contacter» un guide, fut de découvrir que je possédais la machine dont je rêvais. Mon esprit et la relation avec une source plus grande de lumière, Orin, rendaient ces différents voyages possibles.

Je me souviens en détails de ma première expérience de «contact» de mon guide spirituel. J'avais alors 17 ans. J'avais joué du piano pendant des heures et je me sentais très calme. Je me suis allongée près de la fenêtre et je regardais les étoiles. Soudain, j'eus la sensation que l'on me parlait, dans ma tête. Une «voix» me montra tout d'abord la Terre, m'expliquant qu'elle serait le théâtre de changements et de bouleversements, mais qu'il n'y avait pas de quoi s'inquiéter. Alors que je vivais en Orégon à l'époque, la voix dit que je déménagerais au cours de l'année suivante, avec toute ma famille, pour la Californie où je resterais vivre, alors que ma famille retournerait en Orégon. J'avais passé toute mon enfance à déménager, vivant au Kensas, dans le Michigan, en Californie, dans le Missouri et en Orégon, aussi je ne désirais pas changer une nouvelle fois et je n'appréciais pas ce message. Je ne gardais pas en mémoire tout ce qui avait été dit, mais cela dura un long moment. C'est pourtant ce qui arriva six mois plus tard; alors que rien ne le laissait prévoir, mon père entreprit un travail à San Francisco, et toute la famille se retrouva dans cette nouvelle ville. A cette période, je devais entrer à l'Université d'Orégon et j'étais certaine de ne pas suivre ma famille en Californie. Poutant, un an plus tard, l'Université d'Orégon décida de m'affecter à un enseignement «hors-état», aussi je me retrouvais à Berkeley, Université de Californie, et je m'installais donc près de San Francisco. Mes parents retournèrent à Portland huit ans plus tard.

A vingt-six ans, je devins l'amie d'une femme appelée Evelyne Taylor. Elle vint un jour avec une planchette Ouija, disant qu'elle savait que nous pourrions contacter un guide. Alors que j'avais huit ou neuf ans, je reçus de nombreux messages par l'intermédiaire de la planchette Ouija que j'utilisais en compagnie de ma grande-tante et, à cette époque, je me souviens d'avoir eu le sentiment de «tricher» parce que les messages venaient souvent à mon esprit avant même d'être au bout de mes doigts. Cindy Flaherty, une autre amie, lisait le premier livre de Seth: *The coming of Seth* ainsi que «*Seth speaks*», et nous passions des heures et des heures d'une grande intensité à parler de ces livres.

Nous commençâmes, dès le début, à recevoir des messages. Je passais de nombreuses soirées autour de la planchette Ouija avec Cindy et Eve. Nous nous retrouvions au moins trois soirs par semaine et souvent des amis se joignaient à nous. Il était évident dès le début que les messages venaient à travers moi, aussi Cindy et Eve alternaient leur rôle. L'une d'elles travaillait avec moi tandis que l'autre écrivait, lettre après lettre, tous les messages. Nous avons ainsi recueilli plus de 200 pages de notes durant cette première année.

Nous avions demandé à être contactées par le guide et maître le plus évolué qui soit et, peu de temps après, le 9 octobre 1977, Orin apparu.

«Qui est là ?» avions-nous demandé lorsqu'il devint évident qu'une nouvelle entité était présente.

- *Orin*

« Qui êtes-vous ?»

- *Je suis Maître de Vie, avant tout. Votre évolution est suffisante pour me recevoir maintenant. Les messages vous arriveront clairement. Il est temps de commencer votre évolution et votre enseignement. Je vais vous donner des instructions. La méditation quotidienne est essentielle, au lever et au coucher.*

Après plusieurs mois, je ressentis une très forte nécessité intérieure d'exprimer par la voix les messages que je recevais par la planchette Ouija, mais je ne savais pas comment faire. Je présentais tout un domaine d'idées derrière chaque mot épelé avec peine, mais je ne me sentais pas assez assurée pour parler et j'avais peur de ne pas y arriver.

Peu de temps après, les événements s'organisèrent afin de m'obliger à changer. Ce jour-là, je rentrais chez moi dans ma petite Volkswagen, lorsque soudain, une voiture changea de file juste devant moi, m'obligeant à piler. Les freins se bloquèrent et ma voiture commença à faire des embardées que je ne pouvais plus contrôler. J'allais heurter un rail de sécurité et faire une chute de plusieurs mètres. A ce moment précis, quelque chose se produisit, une indescriptible sensation. C'était comme si le temps et l'espace s'agrandissaient, je pouvais partir dans le futur et m'y voir vivante. J'eus une conscience immédiate des autres conducteurs présents sur cette autoroute et je les ressentais comme une unité cohérente au sein de laquelle chacun était conscient et m'assistait au niveau réel et énergétique. Soudain, la voiture partit en tonneaux, et j'eus une vision fugitive de moi-même existant dans une autre dimension, comme une porte s'ouvrant sur une autre réalité. La voiture s'arrêta sur le côté droit. Mises à part quelques contusions, je n'avais rien. Regardant vers l'autoroute, je remarquai que toutes les voitures étaient arrêtées, confirmant la vision où je voyais tous les conducteurs unis. Tout au long de la journée, je me sentis différente et je sus que le soir-même, lorsque nous nous retrouverions pour la session avec la planchette Ouija, je commencerai à contacter un guide spirituel.

Chacun s'assit, plein d'attentes, au moment où je commençai. Nous mîmes de côté la planchette et je m'assis sur une chaise, les yeux fermés. Au début, le message que je reçus ressemblait à une cassette défilant trop vite: les idées traversaient ma conscience avant que je ne puisse les dire. Je demandais alors à ce que les mots défilent plus lentement, et ils venaient si doucement que mon esprit s'égarait, risquant ainsi de perdre le contact. Je parvins à donner des messages cohérents et pleins de sens. Cette soirée fut très réussie. Je parlais avec ma propre voix parce j'étais intimidée du fait de me montrer étrange et différente devant mes amis. J'empêchais tous les gestes et la voix que je savais faisant part de cet être, Dan, qui parlait à travers moi. Orin expliqua plus tard que Dan le représentait tant qu'il ne me serait pas possible de contenir ses puissantes vibrations et ses pensées-impulsions.

Le contact avec le guide spirituel nécessite une très forte concentration. Cela ressemble au fait de s'accorder sur la longueur d'onde d'une chaîne de télévision. Vous ne pouvez conserver une bonne réception que tant que vous gardez la pensée de celle-ci stable et constante. Après un certain temps, j'étais capable de ressentir mes propres pensées en même temps que celles de Dan. Je pouvais poser des questions mentalement alors qu'il expliquait quelque chose à une autre personne, et je pouvais ressentir la réponse qu'il me faisait alors que je canalisais un des messages adressés à une autre personne.

Les trois années suivantes donnèrent lieu à de très nombreuses séances de contact spirituel. Rétrospectivement, je prends conscience qu'il s'agissait d'une période de pratiques intenses et très assidues. Tous les messages étaient remplis d'amour et venaient de Dan. Orin ne pouvait venir que par la planchette Ouija, parce que je fus au bord de l'évanouissement la fois où j'essayais de le laisser passer à travers ma voix. J'avais l'impression de me dilater de haut en bas, je devenais comme une éponge, plus grande que la pièce mais toujours contenue dans un champ d'énergie. J'éprouvais une sensation de pression dans ma poitrine ainsi qu'un sentiment de puissance et d'amour. La façon dont je percevais les lumières et les couleurs se modifiait. J'étais tellement envahie par ces sensations, que je mis un terme à la tentative de faire venir Orin à travers ma voix. Il nous envoya à ce moment-là, par la planchette Ouija, le message suivant:

Je donne la lumière, l'amour et le respect à tous ceux qui viennent, ainsi que des informations. Je suis plein d'énergie et je suis le guide et le superviseur de Dan. Il reçoit de moi tout comme vous recevez de lui. J'ai beaucoup d'énergie, à des fréquences différentes de celles de Dan, et j'ai beaucoup plus de puissance dans mon être. Je vous envoie mon énergie à travers l'être de Dan qui transforme mon énergie à un niveau que vous pouvez intégrer. Votre corps est comme un fil électrique qui ne peut supporter que 20 watts, et je fais plus de 50 watts.

Au cours de l'été 1981, je ressentis l'urgence d'acheter un très bon magnétophone. Cette acquisition faite, je me précipitais chez moi pour l'essayer. Je me souviens de m'être assise sur une chaise, microphones intallés et magnétophone chargé d'une cassette vierge. Tout ce dont je me souviens ensuite, c'est d'être sortie d'un état de transe très profond, un peu comme d'une rêverie, en découvrant que j'avais enregistré cette cassette. Je la rembobinais et l'écoutais avec fébrilité; je réalisais alors que je venais de contacter Orin pour la première fois avec ma voix. Il s'agissait d'une méditation dirigée qui détendait mon corps et parlait directement à mon subconscient, afin de lui ouvrir mon «canal». Je l'écoutais tous les jours. Orin me suggérait de pratiquer le contact spirituel à un rythme plus tranquille, jusqu'à ce que je trouve mon rythme de croisière. Il me donnait des instructions sur la respiration et suggérait aussi de pratiquer quelques exercices d'aérobic et de me promener dans la nature plus fréquemment. J'aurais pu le contacter sans opérer tous les changements qu'il me conseillait sur le plan physique, mais il ne voulait pas que ses vibrations et fréquences plus intenses n'endommagent mon corps.

Je commençais à connaître Orin grâce aux enregistrements que je canalisais. Je parvenais à contenir son énergie de 20 à 30 minutes, le temps d'une méditation. Je demandais à Orin de faire une cassette pour moi, sur tous les sujets auxquels je pouvais penser. Lorsque je voulais me sentir plus puissante, être plus claire, atteindre certains objectifs, me débarrasser de douleurs ou de peurs, ou ressentir la paix intérieure, je lui demandais une cassette. Orin me disait que l'une des manières les plus rapides et les plus efficaces de changer quoi que ce soit consistait à travailler directement sur le subconscient, en y installant les idées nouvelles et en se débarrassant des anciennes. Les cassettes introduisaient des pensées nouvelles et plus élevées dans mon subconscient, afin de créer les changements que je demandais. Je canalisais de nombreuses cassettes et mes amis commençaient à m'en demander des copies, parce qu'ils voulaient, eux aussi, faire l'expérience de ces changements positifs qui s'opéraient en moi.

Dès que je fus capable de faire venir Orin par ma voix, Dan commença à disparaître progressivement et, un jour, il nous adressa à tous un au revoir, disant qu'il lui était difficile de revenir alors que j'étais en contact avec Orin et que son but avait été atteint. Depuis lors, Orin était mon guide; il donnait des consultations, enseignait aux personnes qui venaient, et m'assistait dans mon développement spirituel.

Pour moi, Orin était un être très sage et plein d'amour. De temps en temps, il me parlait directement, soit à travers ma voix, soit dans mon esprit, m'aidant de mille manières. Il avait une façon de voir le monde qui était bien différente de la mienne. Il n'y avait pas de coercition de sa part; je ne devais pas nécessairement voir le monde par le bout de sa lorgnette. Mais les choses allaient bien et je me sentais mieux lorsque j'adoptais ses perspectives plus sages, plus compatissantes et plus encore imprégnées d'amour. Je commençais à regarder les êtres et les événements en me demandant de quelle manière Orin les aurait interprétés. La vie devenait meilleure et je ressentais plus souvent la paix et la joie. Orin orientait ma conscience vers un niveau plus élevé d'où je pouvais agir avec plus d'efficacité, dans mon univers intérieur comme dans mon univers extérieur, en les harmonisant, tant pour les buts et les directions que pour le bien-être.

Au mois d'avril 1983, Orin commença à me parler d'un livre qu'il voulait créer :

« Je développe actuellement une philosophie et plante une nouvelle masse de formes-pensées sur terre, qui aideront les gens à trouver leur pouvoir, à atteindre leur cœur et à créer davantage de bonheur et de paix dans leur vie. Je veux aider tous ceux qui sont prêts à recevoir le meilleur d'eux-mêmes et à vivre avec des buts plus élevés. Nous aidons les êtres à comprendre leur mental et leurs émotions et à évoluer vers une plus grande conscience. Je veux aider chacun à découvrir qu'il peut créer la paix et la joie et croire en soi-même en tant qu'être d'amour.»

Les paroles d'Orin ont toujours reflété cette philosophie. Lorsque quelqu'un le consulte pour recevoir ses conseils, Orin déborde toujours d'amour; il donne aux gens une vision nouvelle et plus ouverte de leur vie et de leurs buts. Il met en évidence les croyances conflictuelles à l'origine de douleurs et de frustrations; il donne des exercices pratiques et stimulants pour amener à de nouvelles croyances. Il encourage toujours les gens à utiliser leur propre discrimination afin d'utiliser les informations qui leur conviennent et d'abandonner tout ce qui ne convient pas à leur expérience. Il ne dit jamais aux gens ce qu'ils doivent faire, et s'ils le lui demandent, il leur montre les différentes possibilités. Il les aide à découvrir ce qui est important dans leur vie, afin que leurs décisions soient les réflexions de leur âme et non de leur personnalité.

Orin est conscient de chaque âme qui l'approche au travers de ses mots, qu'ils soient parlés ou écrits. Sa lumière est toujours disponible pour ceux qui ont établi un contact avec lui et qui gardent en leur esprit la pensée de lumière et d'amour qu'est Orin. Dans ses mots, se trouve la reconnaissance de l'être que vous êtes : un être de lumière et de perfection, faisant l'expérience de la vie sur Terre, évoluant, grandissant et apprenant à exprimer la lumière de votre âme dans le monde de la forme et de la matière.

Orin a dit clairement, dès le début, qu'il est là pour aider le guérisseur à guérir et l'enseignant à enseigner. Il attire à lui tous ceux qui évoluent à l'avant-garde d'un nouveau mouvement qui ouvrira davantage de gens à leur être supérieur.

Ainsi, ce livre est un cadeau d'Orin.

2

BIENVENUE D'ORIN

Bienvenue d'Orin, à vous tous qui êtes ici présents pour apprendre au sujet des niveaux supérieurs de la connaissance. Quand ces niveaux sont maîtrisés, la vie quotidienne devient plus simple et le nouveau défi consiste alors à atteindre des niveaux encore plus élevés et à y demeurer. Dans un premier temps, vous serez comme des visiteurs, avant de devenir les résidents de ces royaumes de la connaissance. Je m'adresse à vous tous, ici présents, afin que vous transmettiez l'information, parce que maintenant vous êtes étudiants et que plus tard vous enseignerez. Plus votre sagesse et votre compassion croissent, plus les autres viendront naturellement chercher auprès de vous conseils et avis. Je vous parle afin de vous assister dans votre quête pour atteindre ce nouvel état de conscience et d'être, qui vous permettra de faire partie des chefs de file du nouvel âge. Il existera toujours ceux qui vont de l'avant, les éclaireurs et les pionniers, ceux qui osent être les premiers.

Le défi que je vous lance, c'est d'être les premiers dans ces nouveaux espaces de la conscience et de l'éveil. Cette sagesse, une fois que vous l'aurez vue et assimilée, vous semblera innée. Tout ce que vous apprendrez, vous devrez peut-être l'enseigner, dans la mesure où vous l'utiliserez pour votre propre compréhension et votre guidance. J'appelle tous ceux qui sont sur cette planète Terre, enseignants ou guérisseurs, tous ceux qui veulent être les premiers à sortir de cette pensée collective, tous ceux qui sont prêts à aller au-delà de cette réalité connue et à entrer dans d'autres royaumes de lumière et d'amour.

Je vous aiderai à atteindre votre âme, à oeuvrer pour son éveil, et à découvrir la joie qui vous attend lorsque vous regarderez au travers des fenêtres de votre âme. La joie est une attitude; c'est la présence de l'amour pour soi-même comme pour les autres. Elle naît d'un sentiment de paix, de la capacité à donner et à recevoir, de l'appréciation de votre individualité et de celle des autres. C'est un état de gratitude et de compassion, un sentiment de connection avec votre être supérieur.

Dans ce livre, vous apprendrez à créer un environnement bénéfique et fécond dans lequel votre esprit pourra s'épanouir. Je m'efforcerai de vous aider à trouver votre voie, votre but, et je vous montrerai comment vous ouvrir à cela. Ce livre doit vous aider à voir qui vous êtes réellement et à progresser sur le chemin de la joie et de la lumière. Les outils qu'il contient vous permettront de vivre dans le calme, et je souris tendrement en parlant de calme. Les situations que vous jugez difficiles actuellement seront maniées d'ici peu avec grâce, mais de nouveaux défis apparaîtront, et ils seront merveilleux. Ceci est un cours pour explorer votre être supérieur.

Il existe de nombreux états de conscience dont vous avez fait l'expérience mais auxquels vous n'avez prêté aucune attention. Vous pouvez apprendre à devenir conscients des niveaux d'information et de conscience plus élevés en vous concentrant sur eux. Vous pouvez faire l'expérience de la connaissance et de la véritable sagesse. Je vous aiderai à explorer et à augmenter votre capacité à écouter les guidances de votre âme. Vous apprendrez à vous mettre en contact avec les informations que détient l'univers, et qui pourraient vous aider. Chacun de vous, ayant été appelé vers ce livre, peut devenir un canal de guérison et d'amour. Vous êtes tous sur la voie du service planétaire et de l'évolution personnelle accélérée. Vous l'exprimez par des biais multiples et différents, tels que la guérison par l'imposition des mains, le partage des connaissances par le verbe ou l'écriture, l'évolution personnelle des autres, et en diffusant la lumière et l'amour autour de vous.

De nombreuses réalités existent et j'aimerai vous mener jusqu'aux plans les plus élevés et les plus subtils de l'amour, de la joie et de la sagesse. Je vous demande, en lisant ce livre, de vous surpasser et d'étendre votre pensée à des idées nouvelles qui, pour l'instant, ne pourraient pas être acceptées par tout le monde. La conscience humaine s'agrandissant, un nombre croissant d'êtres atteint ces nouveaux plans de l'amour. Ces concepts seront devenus la norme d'ici 100 ans.

Vous ensemencez le monde avec de nouvelles formes-pensées

J'étends mon invitation à tous ceux qui désirent participer au changement qui se prépare. D'autres, comme moi, vous appellent. Imaginez-vous comme faisant partie d'un grand groupe, formé pour explorer la conscience et ensemencer l'univers d'idées nouvelles. Ces idées sont la croyance en un univers amical, abondant et dans lequel vous *pouvez* vivre dans la joie et l'amour. Par vos pensées élevées, vous contribuez à une «atmosphère générale», vous êtes à la source d'idées qui aident les autres à s'aimer davantage.

J'invite tous ceux d'entre vous qui sont sur le chemin de la lumière et la joie à s'unir à mon essence lorsque vous lirez ces pages, et à sentir la communauté réunie par tous ceux qui partagent cette connaissance. Un groupe cultivant certaines formes-pensées dans son esprit collectif peut accomplir une grande oeuvre. Chaque fois que certaines pensées ou croyances sont émises et pratiquées par un groupe de personnes, cela amplifie prodigieusement la capacité de chaque individu à les créer dans sa vie, et cela rend ces pensées accessibles à tous ceux qui s'élèvent, sachant que les centres d'intérêt sont ici l'amour, le développement spirituel et l'être supérieur .

Votre pays et le monde entier vivent déjà ces transformations. Durant les vingt prochaines années, il se produira des changements très importants dans les formes-pensées courantes. Vous pouvez aider à l'implantation de ces idées à venir. Vous pouvez cultiver en vous l'image de grandeur, d'intérêt universel et d'entraide à la Terre. Afin d'utiliser les énergies et les transformations qui s'annoncent, vous devrez développer des qualités de l'âme telles que le pacifisme, la clarté, l'amour et la joie. Je ne m'étends pas sur l'holocauste que l'on prédit, parce que je ne le vois pas se réaliser. Je parle de la nécessité de faire éclore la paix sur cette planète en la faisant fleurir dans votre vie de tous les jours. Vous avez l'opportunité d'utiliser les énergies et l'atmosphère de transition de votre époque pour vous élancer vers une conscience plus grande.

Nous sommes nombreux, sages et enseignants, à apporter le même message d'amour universel, de paix et d'unité. Nous employons chacun un vocabulaire différent, utilisant les mots appropriés, afin de sensibiliser les groupes avec lesquels nous travaillons. Cela a déjà commencé dans de nombreux endroits. Vous avez probablement ressenti un sentiment de fraternité avec tous ceux qui se centrent sur l'élargissement de la conscience et le développement personnel. Vous pouvez vous trouver entre deux mondes; vous êtes en contact, d'un côté avec des personnes qui ne croient pas à ces choses, et de l'autre avec des personnes qui y croient. Vous découvrirez que vos relations réunissent plusieurs mondes, parce que l'information ne doit pas être diffusée en un seul point. Nous cherchons des êtres pour polléniser toute la planète, et désireux d'appartenir à un groupe de personnes ne se limitant pas à leurs semblables. Plus vous touchez des milieux différents et plus vous-mêmes et vos idées auront de valeur pour la planète.

Vous pouvez apprendre à transcender les luttes de pouvoir et amener vos relations au niveau du cœur et de l'âme, vous connectant ainsi aux autres d'une façon plus aimante. Vous apprendrez mille manières agréables d'être en osmose avec vos amis ou avec les autres, et l'art d'établir des contacts qui vous procureront la joie et la paix intérieures. Ceux qui lisent ceci se trouvent sur le chemin où l'union avec les autres se situe au niveau du cœur et non plus au niveau du centre du pouvoir. Tout ce que vous apprenez peut être transmis et partagé. Le temps est venu, sur cette planète, de voir éclore de nouvelles formes-pensées, de nouvelles manières de s'unir, d'être avec les autres, et de créer la paix et non plus la discorde.

Qui suis-je ?

Beaucoup d'entre vous ont demandé ce qu'est un guide. Qui sommes-nous? Quel est notre but ?

Moi, Orin, je suis un maître spirituel. J'existe aussi dans d'autres réalités que celles qui sont basées sur vos principes scientifiques et vos lois. J'ai fait l'expérience d'une vie sur votre planète, aussi je connais au mieux l'expérience de la réalité physique.

Je voyage dans de nombreux systèmes. Dans votre langage, j'appartiens aux chercheurs, journalistes-reporters, maîtres et guides; mais cela n'est qu'une partie de ce que je suis. Je suis en contact avec de nombreux plans de la réalité, parce qu'il se produit un grand mouvement d'évolution à tous les niveaux à l'échelle inter-planétaire. Dans les mondes où je voyage, l'évolution s'accélère. Tous ceux qui demandent de l'aide doivent pouvoir en recevoir. Je suis un esprit en ce moment, et je parle à l'esprit de celle que vous appelez Sanaya, par la transmission de mes pensées-impulsions.

Je suis un Etre de Lumière

J'aide ceux qui avancent sur le chemin de la joie et de la lumière sur Terre, ceux qui désirent servir la planète et qui sont intéressés par l'évolution et le développement personnel. J'offre guidance et assistance dans votre vie personnelle et sur votre voie au service du monde.

Je transmets l'enseignement spirituel sur la Terre et ailleurs aussi. Je voyage dans différentes parties de l'univers afin de découvrir ce qui s'y passe, pour concentrer et dispenser les guidances vers les régions qui peuvent en bénéficier au mieux. Il y a certaines vérités qui agissent partout, dans tous les univers connus; je suis ici pour en enseigner les principes et les applications. La compréhension et la pratique de ces vérités créent toujours un élargissement de la conscience.

Je lance une invitation à votre âme pour qu'elle se joigne à moi, afin d'explorer ces potentialités élevées. Mon essence se trouve dans ces pensées. Elle vous aidera à vous ouvrir à votre être le plus profond et le plus sage. Vous aurez l'impression de devenir ce que vous avez toujours su que vous étiez. Beaucoup d'entre vous se sentent différents de leurs proches, comme s'ils savaient qu'ils ont une mission, quelque chose de spécial à accomplir au cours de leur vie. J'espère vous aider à découvrir cette mission et son but. Je vous invite à un voyage en ma compagnie dans le royaume de la lumière et de l'amour, de là où vous venez.

21

Nombreuses sont vos belles âmes de lumière qui ont été prises par les énergies plus denses de la Terre. Avec ces concepts, je m'efforcerai de vous amener vers ces royaumes plus subtils que vous recherchez naturellement. Donnez-vous la permission d'absorber l'énergie présente au-delà des mots, parce que cela a été écrit de manière à ce que les mots et l'énergie que j'envoie avec eux, ouvrent votre cœur.

Il y a beaucoup d'amour, de compassion et de guidance disponibles à travers nous, les Etres de Lumière

Je ne suis pas loin et mon amour, mes vibrations, atteignent tous ceux qui le demandent. En premier lieu, vous devez demander, parce que nous ne pouvons pas aider ceux qui ne demandent pas.

C'est le début du cours. Ce que je vous dis n'est qu'une parcelle de ce qui va vous arriver. J'espère que, d'une certaine manière, je peux rendre la transition des années qui viennent plus joyeuse, car vous traverserez tous des changements importants. Je vous encourage à n'accepter dans votre cœur que les idées et suggestions qui sonnent vrai au plus profond de votre être, et à laisser tomber le reste. Je suis ici comme un assistant, un maître spirituel, pour vous aider dans votre propre transformation personnelle. Je vous accueille dans cette vision plus joyeuse, aimante et pacifique de ce que vous êtes.

3

VIVRE DANS LA JOIE

Je vous parlerai de joie, de compassion et de but élevé, parce que nombreux sont ceux qui, parmi vous, cherchent la paix et l'harmonie intérieure. Vous êtes conscients que la paix vient de votre monde intérieur et que le monde extérieur n'est qu'une représentation symbolique de ce qui se passe en vous. A différents niveaux, vous comprenez le processus par lequel vous créez ce que vous vivez.

Quel est le chemin de la joie? Vous pouvez choisir entre plusieurs chemins durant votre vie, tout comme vous disposez de différents atouts pour servir la planète. Il existe le chemin de la volonté, de la lutte, mais aussi le chemin de la joie et de la compassion.

La joie est la musique intérieure
que vous chantez au fil de la journée

Qu'apporte la joie dans votre vie? Le savez-vous? Etes-vous conscient de ce qui vous rend heureux? Ou bien, êtes-vous si absorbé par l'accomplissement de vos tâches quotidiennes que vous avez repoussé à un futur incertain toutes ces choses qui vous plaisent? Le chemin de la joie concerne le présent et non pas le futur. Avez-vous une image de ce que la vie *pourrait être* dans le futur, lorsque vous serez heureux mais dépourvu du sentiment de bien-être dans le moment présent?

Beaucoup d'entre vous remplissent leur emploi du temps avec

des activités qui ne relèvent pas de l'âme mais de la personnalité. Vous avez peut-être appris que d'être affairé est valorisant. Il existe deux sortes d'activités. Les activités orientées par la personnalité sont souvent basées sur des «tu devrais...» et ne sont pas vouées au bénéfice de buts élevés, alors que les activités orientées par l'âme sont toujours accomplies dans un but élevé, présent à l'esprit.

La personnalité est souvent distraite par les sens qui accaparent régulièrement l'attention: le téléphone, les enfants, le bavardage, les émotions des autres. Ces énergies détournent votre attention au long de la journée et peuvent vous empêcher d'être à l'écoute de vos messages intérieurs.

La vraie joie naît lorsque vous agissez en accord avec vos directives intérieures et que vous reconnaissez qui vous êtes

De nombreuses raisons peuvent vous empêcher de changer immédiatement votre vie. Si vous ne commencez pas à créer des raisons de changer tout de suite, ce changement ne sera qu'une pensée dans le futur, et vous ne serez pas sur le chemin de la joie. Dans ce monde où vous avez choisi de venir, vous avez reçu des sens physiques et un corps émotionnel. Le grand défi de votre vie consiste à ne pas vous laisser prendre par ce qui est placé devant vous, par ce qui vous attire, mais au contraire, à trouver votre centre et à attirer à vous tout ce qui est en harmonie avec votre être intérieur.

Vous comportez-vous de telle sorte que les autres s'attachent à vous, remplissant ainsi votre emploi du temps, mais pas comme vous le souhaiteriez? Vous pouvez changer cela. Ce pouvoir vient de votre compassion envers vous-même et de votre sens de la liberté intérieure.

Ainsi, beaucoup d'entre vous ont passé des vies entières dénuées de joie, parce qu'ils se croyaient des obligations envers les autres, parce qu'ils se sentaient indispensables, ou parce qu'ils étaient prisonniers d'une situation.

Sur le chemin de la joie,
créer sa liberté est un défi

Chaque être est libre. Peut-être avez-vous créé un ensemble de travaux et basé votre vie sur certains accomplissements et certaines situations. Le chemin de la joie vous enseigne à ne pas vous laisser emprisonner par les détails de ces formes. Il vous apprend à ne pas vous laisser piéger par vos propres créations, mais à être porté par elles.

Si vous avez créé un travail, une relation, ou d'autres choses qui ne vous procurent pas de joie, regardez à l'intérieur de vous-même et cherchez à savoir pourquoi vous devez perpétuer cette situation. Souvent, c'est parce que vous ne croyez pas que vous méritez ce que vous voulez. A notre niveau, «mériter» ne signifie rien. Vous avez tous reçu une imagination active; c'est la porte de sortie vers ce que vous êtes. Vous pouvez choisir de laisser la porte ouverte aux soucis, ou de franchir le seuil de la joie.

Lorsque vous téléphonez à un ami, laissez-vous la conversation s'éterniser alors que vous voudriez qu'elle cesse? Ecoutez-vous toutes les histoires qui abaissent votre énergie? Prenez-vous des rendez-vous, même si vous n'en avez pas réellement le temps, ou si vous n'y avez pas grand intérêt? Pour trouver le chemin de la joie, vous devez savoir pourquoi vous vous sentez obligé par les autres ou par les situations que vous avez créées. Le chemin de la compassion ne vous impose pas d'aimer tous les êtres sans prendre en considération leurs actes et leur nature. Sur ce chemin, il s'agit de percevoir la vérité de la nature et d'en reconnaître les différentes parties. Sur ce chemin, vous rencontrerez d'autres personnes et vous leur demanderez si vous pouvez les guérir, les aider ou les mettre en contact avec leurs visions plus élevées. S'il n'en est pas ainsi, vous abaissez votre niveau énergétique, perdant alors votre temps.

Certains d'entre vous passent la plus grande partie de leur temps à aider les autres et s'en trouvent très frustrés. Vous pouvez vous sentir obligé, comme si la seule issue possible était d'écouter leurs malheurs, souhaitant qu'ils s'accommodent de leur vie. Si vous aidez les autres et que ceux-ci n'évoluent pas, il est préférable de regarder de plus près si votre aide est réelle ou s'ils sont prêts à la recevoir.

Le chemin de la joie implique la capacité à recevoir. Vous pouvez être entouré d'amour, d'amis attentionnés, avoir un corps mince et en bonne santé, si vous le choisissez. Il existe tant d'occasions pour exprimer la gratitude et apprécier ce qui est. Une des manières de recevoir plus encore est de consacrer un certain temps à apprécier ce que vous avez déjà. Soyez reconnaissant, même pour les choses les plus simples comme les fleurs au bord de la route ou le sourire d'un enfant qui vous réchauffe le cœur, et très vite, vous découvrirez que l'univers vous offre encore davantage.

Je m'adresse à ceux d'entre vous qui s'intéressent à l'argent ou qui cherchent un emploi très lucratif: tout en faisant ce que vous aimez, êtes-vous prêts à prendre le risque et faire ce que vous aimez vraiment? Etes-vous prêts à faire confiance à l'univers pour qu'il vous donne cette opportunité ? Et de surcroît, êtes-vous prêts à accueillir tout l'argent qui va couler à flot? Sentez-vous réellement que vous le méritez ?

Le chemin de la joie implique que vous vous estimiez et que vous contrôliez les choix de votre emploi du temps

Si chacun utilisait son temps pour accomplir uniquement ce qu'il y a de meilleur, pour soi-même ou pour son conjoint, le monde changerait en un seul jour. Il est très important d'employer votre temps à favoriser ce qu'il y a de meilleur pour vous. Si quelque chose n'est pas accompli pour votre plus grand bien, je peux vous garantir qu'il ne l'est pas non plus pour celui de la planète ni même celui des autres.

Vous pouvez penser : «Quelle activité pourrait m'apporter la joie?» Chacun d'entre vous possède un violon d'Ingres. Il n'existe pas une seule personne vivante au monde qui n'ait une activité favorite.

Ce que vous aimez est le signe de votre être supérieur de ce que vous devez faire

Vous pouvez dire : «j'aime lire et méditer; ce n'est certainement pas ma voie et ça ne peut m'apporter de l'argent». Si vous vous permettez de vous asseoir, de lire et de méditer, une voie se dessinera. Ainsi, bien souvent, vous résistez à ce que vous avez le plus envie de faire. Dans l'esprit de chacun se trouvent les balbutiements de l'étape suivante. Cela peut être simple comme un coup de téléphone ou la lecture d'un livre. Cela peut être très concret comme l'accomplissement des choses ordinaires qui ne semblent pas nécessairement connectées avec la vision subtile envisagée. Sachez que chaque nouvelle étape vous est indiquée sous la forme d'un indice simple, évident et très joyeux.
Chacun de vous sait ce qui lui apporterait de la joie, dès demain. Dès votre réveil, posez-vous la question de savoir ce que vous pouvez faire durant cette journée pour vous procurer de la joie et du plaisir. Mettez un sourire sur votre visage, au lieu de vous concentrer sur la façon dont vous passerez cette nouvelle journée. Ne vous concentrez pas sur les problèmes auxquels vous allez devoir faire face.

Vous connaîtrez la joie si vous vous centrez pour l'avoir, elle et seulement elle

Quelle est votre plus haute vision? Comment la découvrirez-vous dans votre vie? Pour la plupart, vos distractions restent futiles. Si vous prenez le temps de vous asseoir pendant cinq minutes chaque jour, passant en revue le programme de votre journée, cherchant à savoir en quoi chaque rendez-vous, chaque personne ou chaque appel téléphonique s'accorde avec vos buts les plus élevés, en l'espace de quelques mois vous serez sur le chemin de votre destinée, et vous découvrirez de nouvelles manières de doubler vos revenus. Bien sûr, au-delà de cette sagesse, vous devez *agir*.

Si vous ne connaissez pas votre voie ou votre chemin, vous pouvez créer un symbole dans ce but. Visualisez-vous le tenant dans vos mains comme une boule de lumière. Portez-le au niveau de votre cœur, puis au niveau du chakra situé au sommet de votre tête, et abandonnez-le aux bons soins de votre âme. En très peu de temps, vous obtiendrez des résultats palpables. Vous découvrirez qu'avec la simple pensée de votre but élevé, vous réorganisez votre journée de façon magique et magnétique. Très rapidement, les amis qui prenaient votre temps ne seront plus aussi intéressants, vous trouverez de nouveaux amis et vous changerez la nature de votre amitié avec vos amis de longue date.

La compassion, c'est l'attention que nous nous portons à nous-même. Ayez de l'estime pour vous-même et pour votre temps. Vous ne devez de votre temps à personne. Lorsque vous vous prenez en charge et que vous affirmez que vous êtes une personne unique et de valeur, le monde entier l'affirme pour vous aussi.

Chaque personne a un but et une raison d'être sur Terre

Vous n'êtes pas ici-bas que dans un seul but; chaque fois que vous accomplissez une certaine chose, celle-ci devient alors une partie d'une étape antérieure et une autre phase de votre évolution. Chaque nouvelle expérience s'intègre aux expériences précédentes. Certains d'entre vous sont marginaux, testant des nouveautés n'ayant apparemment pas de liens entre elles, pour apporter de nouvelles qualités dans ce voyage ascendant. Certains d'entre vous trouvent les formes de leur travail. D'autres sont là pour développer, et c'est leur but, une vision de paix intérieure.

Ne jugez pas les buts au travers des schémas des autres personnes, ou parce que la société vous a dit que c'est la meilleure chose à faire. Peut-être êtes-vous là pour développer cette paix intérieure et irradier cette qualité autour de vous, la rendant disponible aux autres. Vous êtes là aussi, peut-être, pour explorer les domaines de l'intellect ou le monde des affaires, afin de contribuer à l'évolution des formes-pensées sur cette planète. La compassion se situe au-delà de tout jugement. C'est l'acceptation simple, la capacité d'aimer et d'estimer le soi, quelle que soit la voie vers laquelle les buts élevés s'orientent.

De tous temps ont existé des tensions internationales, mais c'est toujours une grande opportunité pour tous ceux qui se centrent sur les aspects positifs et qui désirent prendre la pleine responsabilité de ce qu'ils créent. L'énergie est disponible pour les êtres intuitifs, disposés à la guérison et en marche sur le chemin de la joie. Habités par cette énergie, vous jouissez d'un univers d'abondance et de joie *dès maintenant.*

Beaucoup d'entre vous progressent très rapidement. Votre développement s'est effectué en accéléré, afin d'enseigner et d'aider vos successeurs. Certains parmi vous, auteurs ou écrivains entre autres, peuvent avoir des années d'avance sur les formes-pensées de la majorité des gens, parce qu'il est nécessaire que vous soyez dans le courant du moment lorsque vos écrits paraissent. Chacun n'expérimente pas la même transition au même moment.

Vous tous, lecteurs, vous êtes des pionniers parce que vous n'auriez pas été attirés vers ces informations si vous n'étiez pas en avance sur votre temps

Vous pouvez ressentir un changement dans l'énergie de cette planète. Ceux d'entre vous qui désirent partir à la recherche de leur but observeront que leur vie s'accélère encore plus. Si vous pensez que vous êtes déjà très occupés, soyez prêts! Les choses iront encore plus vite et alors, sagesse et discernement seront de rigueur! C'est pourquoi vous apprécierez de visualiser chaque journée en détails et de la comparer à vos buts les plus élevés.

Il peut arriver que la chose la plus difficile soit de dire «non» à une personne dans le besoin. Si vous donnez constamment votre attention aux personnes en état de crise, vous affirmez qu'elles peuvent obtenir votre attention en créant des crises. Si vous désirez que les gens respectent et honorent votre temps, apprenez-le leur en les remerciant lorsqu'ils font ainsi.

Le monde traverse une période de changement où tout s'accélère. Vous le ressentez peut-être déjà. Ceux qui ne sont pas centrés sur leur but élevé et sur leur être supérieur auront davantage de problèmes. Certaines personnes, autour de vous, parlent de cette époque comme de la période la plus belle et la plus joyeuse, alors que pour d'autres, c'est la plus difficile. Si cette période est la plus joyeuse de votre vie, regardez les gens autour de vous. Plutôt que de les juger ou de vous sentir séparé de ceux sont en difficulté, envoyez-leur tout simplement de la lumière, et ensuite, laissez faire.

Si des luttes de pouvoir vous opposent à d'autres personnes — des étrangers comme des gens que vous aimez bien ou des amis— entrez en contact avec votre être supérieur. Arrêtez quelques instants, prenez une bonne inspiration et ne vous laissez pas piéger par leur désir de confrontation. Souvenez-vous qu'il s'agit de *leur* désir et non du vôtre.

Au rythme de cette vibration qui s'accélère sur la planète, vous désirerez apprendre à ne pas vous laisser entraîner dans l'énergie des autres personnes par leur troisième chakra, le plexus solaire. La plus grande partie de l'énergie que les gens reçoivent des autres vient du plexus solaire, centre du pouvoir et de l'émotion. Une grande part des défis sur le chemin de la joie consiste à sortir de ces luttes de pouvoir et à vous tenir à un niveau plus profond de compassion. Si un ami vous agresse ou se montre hostile, prenez de la distance et, avec compassion, essayez de voir la vie de son point de vue. Vous pourrez vous rendre compte de sa fatigue ou de son attitude défensive, qui n'ont rien à voir avec vous-même, parce que vous représentez simplement un caractère différent dans son jeu. Plus vous pourrez rester libre et hors de toutes ces luttes de pouvoir, plus votre vie sera paisible et riche et plus vous serez en position favorable pour guérir les autres, tout en vivant dans votre cœur, plein de compassion.

Plongez en vous-même pendant quelques instants et cherchez à savoir ce que vous pouvez faire dès demain, très spécifiquement, pour amener plus de joie dans votre vie. Questionnez-vous afin de savoir comment vous débarrasser d'une lutte de pouvoir ou d'un désaccord qui absorbe votre énergie. Que pouvez-vous faire, dès demain, pour libérer un peu plus de votre temps afin de trouver la paix intérieure ?

Vous avez tant de gratitude à exprimer, ne serait-ce que pour votre bel esprit et vos potentialités illimitées. Vous avez la capacité de créer tout ce que vous désirez; les seules limites sont celles que vous vous mettez. Dès votre réveil, affirmez votre liberté. Gardez en vous vos visions les plus élevées et vivez la vie la plus joyeuse que vous puissiez imaginer.

Vivre dans la Joie

1 - Faites une liste de sept choses que vous aimez faire, qui vous remplissent de joie, mais que vous n'avez pas faites au cours de ces derniers mois. Cela peut être tout ce que vous voulez : prendre un bain de soleil, partir en voyage, recevoir un massage, accomplir un certain but, faire de l'exercice, lire un livre...

2 - A côté de chacune de ces sept choses, écrivez ce qui vous empêche de les réaliser. Est-ce quelque chose qui vient de l'intérieur (tels que vos sentiments) ou de l'extérieur (quelqu'un ou quelque chose, tel que le manque d'argent)?

3 - Parmi elles, choisissez deux ou trois possibilités qui vous apporteraient les plus grandes joies. Ensuite, pensez à une étape ou une décision que vous pouvez prendre pour que ces voeux se réalisent.

4 - Notez sur votre calendrier la date ou la période à laquelle vous introduirez chacune de ces joyeuses activités dans votre vie.

4

TRANSFORMER
LE NEGATIF EN POSITIF

L'aptitude à regarder toutes les situations, les personnes et les événements dans une perspective positive vous aidera à vous élever au-dessus des formes-pensées les plus courantes pour atteindre ainsi des niveaux plus denses d'énergie afin de poursuivre le chemin de la joie. Vous pouvez partager dans votre entourage la croyance que tout ce qui arrive est là pour le plus grand bien de chacun. Nous entendons souvent les gens se plaindre, se porter en victimes, discourir sur tous les événements négatifs dont ils sont le théâtre. La plupart des conversations et des informations — à la télévision, dans les restaurants, les moyens de transport ou les endroits publics— tournent autour de ce qui est faux et mauvais. Une certaine façon de penser et d'être en rapport avec les autres s'est développée autour d'un point commun de vertu, de ce qui est bien ou mal, en mettant l'accent plus particulièrement sur l'aspect négatif. Cet état de choses trouve ses racines dans votre système de polarité, où quelque chose doit être bon ou mauvais, positif ou négatif, orienté vers le haut ou vers le bas. Transformer le négatif en positif appartient à la croyance dans le meilleur.

Parce que vous existez dans cette croyance de polarité, je ne peux m'exprimer de façon adéquate qu'en utilisant ce principe. Vous pouvez prendre la responsabilité d'enseigner à vos proches l'art de voir les raisons positives des événements qui se présentent.

Si vous désirez être conscient du meilleur, apprêtez-vous à abandonner les perspectives limitées et à agrandir votre vision de la vie

Pour de multiples raisons, votre passé pèse comme une ancre tant que vous ne relâchez ni n'abandonnez toutes les croyances négatives qui s'y rapportent, ainsi que la mémoire qui vous en reste. Certains d'entre vous gardent l'impression de ne pas avoir vécu au mieux certaines relations et peut-être subsiste-t-il une vieille blessure dans leur cœur ou un sentiment d'avoir été déçu. Vous pouvez retourner dans le passé et changer ces souvenirs négatifs en prenant conscience des cadeaux que ces personnes vous ont faits et le bien que vous leur avez procuré. Ensuite, vous pouvez transmettre télépathiquement à ces personnes le pardon et l'amour, en les visualisant à l'âge qu'elles avaient lorsque vous les avez connues. En agissant de la sorte, vous vous guérirez tout en guérissant ces personnes. Cette guérison s'opérera dans le temps présent et éliminera toute projection de schémas négatifs dans votre futur.

Je commence en parlant du passé parce que nombre d'entre vous en conservent des images négatives. Chaque jour vous grandissez, vous évoluez et vous apprenez de nouvelles manières de canaliser votre énergie; pourtant, si ces incidents passés ne s'étaient pas produits, vous ne seriez pas celui que vous êtes maintenant.

Tout ce qui arrive vous permet d'évoluer vers votre être supérieur.

Maintenant que vous avez atteint un nouvel état d'être, il se peut que vous soyez tenté de regarder vers le passé avec regret. Vous pouvez penser à maintes manières, plus évoluées et plus chaleureuses, avec lesquelles vous auriez pu agir lors de ces événements. Pourtant, ce sont précisément ces incidents qui vous ont permis d'évoluer et vous permettent aujourd'hui d'entrevoir les meilleures manières d'agir. Certaines leçons peuvent être plus pénibles que d'autres, et cela dépend de votre volonté de les confronter. Pour élargir votre champ de vision, vous devez être capable de sortir du moment présent pour voir votre vie comme un tout et non pas comme une suite d'événements indépendants les uns des autres.

Lorsque moi, en tant qu'Orin, je vois une personne, c'est sa vie entière qui se déroule sous mes yeux et je regarde chaque incident non pas comme un petit événement séparé, mais comme une partie de son chemin. Vous disposez aussi de cette faculté. Vous pouvez résister ou sentir que vous ne désirez pas y consacrer de votre temps. Pourtant, les cadeaux qui vous attendent sont grands si vous acceptez de regarder votre vie d'une plus large perspective. Pour reconstruire en positif, l'esprit conscient devra disposer d'un champ très large. Le corps spirituel voit nécessairement cette large perspective. Vous pouvez apprendre à vous porter vers ce point de vue panoramique, et à sortir des limites du corps émotionnel et du mental. Cela vous aidera à envisager votre vie sous un angle positif.

Chez la plupart des êtres, le corps émotionnel est beaucoup plus jeune que le corps spirituel ou mental; ils sont manifestement plus prisonniers d'une énergie dense. Le niveau émotionnel de la plupart des habitants de ce pays est en pleine évolution, mais il est encore jeune. Son évolution est freinée par la croyance générale aux systèmes de peur et de pessimisme. Notre objectif est de cultiver l'optimisme et l'espoir, dans l'atmosphère émotionnelle et dans les systèmes de croyance des gens, par la paix et l'amour.

Les journaux et tous les médias diffusent largement cette atmosphère de catastrophe qui envahit les images mentales et le climat émotionnel du pays. Lorsque je parle de reconstruction positive, je dois ajouter qu'il existe de *bonnes* raisons pour que cela se fasse. Si vous regardiez votre pays d'une plus large perspective, vous pourriez vous observer en train de changer de voie, simplement à cause de ces messages basés sur la peur.

Les gens répondent à certains types de messages et la plupart d'entre eux réagissent aux messages négatifs qui sont diffusés, en particulier les avertissements et ceux qui provoquent la peur. Jusqu'à ce jour, vous avez décrété que la peur est plus efficace que l'espoir pour transformer les êtres. Pourtant, lorsque le temps sera venu, une nouvelle communication, basée sur l'espoir et l'optimisme, fera son apparition.

Lorsque vous regardez autour de vous, soyez conscient de la façon dont les gens parlent; observez la manière dont ils reçoivent les enseignements de leur énergie. Transmettez-leur votre foi en une évolution positive. Il existe plusieurs systèmes de croyance en pleine mutation et je vous les indiquerai afin que vous puissiez contribuer à la mise en oeuvre rapide de ces systèmes plus élevés de la réalité.

Un de ces systèmes est basé sur le postulat qu'il est nécessaire de souffrir et de se battre pour évoluer. Vous êtes prêt à réfuter cela sur un plan général. Malgré tout, nombre de gens ne sont pas encore prêts à vivre sans douleur et sans lutte, aussi doivent-ils garder la possibilité de vivre dans tout ce théâtre jusqu'à ce qu'ils décident d'évoluer.

La croyance, généralement répandue, que le monde extérieur prédomine sur le monde intérieur, est aussi en pleine mutation. De même, la croyance dans le manque est très populaire, et chacun pense qu'il n'y a pas assez pour tous. Il s'agit d'une croyance omniprésente dans cette civilisation; elle est responsable de l'esprit de compétition et des luttes de pouvoir. Ces observations sont dépourvues de tout jugement, mais révèlent seulement que ces êtres apprennent de telle manière qu'ils rendent leur vie difficile à vivre.

Croyez-vous maintenant à l'abondance, à l'existence du monde intérieur et à l'apprentissage de l'évolution par la joie ?

Vous êtes peut-être à l'avant-garde de nouvelles formes-pensées, aussi j'attire votre attention sur les croyances les plus répandues et parmi lesquelles vous évoluez. Dès que vous les reconnaissez, vous pouvez choisir de les accepter et de vivre avec ou non.

Commencez avec votre passé; pensez à un événement précis dont vous n'avez pas compris le sens. Alors que vous regardez en arrière avec vos yeux d'adulte, avec votre soi plus mature, vous pouvez comprendre avec précision les raisons pour lesquelles vous avez attiré cet incident, et en apprécier ainsi les enseignements. Vous pouvez voir, maintenant que vous regardez vers le passé avec une perception plus vaste, que vous n'avez pas obtenu ce que vous escomptiez à cause de certaines raisons. Il se peut que le fait de ne pas avoir reçu ce que vous attendiez, vous ait amené à modifier votre chemin d'évolution; il est probable que si vous l'aviez reçu, cela vous aurait retenu en arrière; peut-être ce désir venait-il d'une partie de vous-même encore trop faible. Plongeant en arrière dans votre mémoire, visionnant vos relations passées et votre cheminement professionnel (même si cet état de fait se prolonge aujourd'hui et que le changement commence seulement à s'opérer), appréciez-en le bénéfice. Ce que vous êtes maintenant ne serait pas possible sans cela. Vous ne pouvez rien quitter sans amour. Plus vous haïssez quelque chose, plus vous y êtes attaché, mais plus vous l'aimez et plus vous êtes libre. Aussi, vous devez aimer votre passé pour être libéré de lui.

Lorsque vous pouvez concevoir votre enfance et vos parents comme un tout parfait pour le chemin sur lequel vous étiez, alors vous êtes libéré des effets du passé. Vous pouvez penser que vous avez choisi vos parents, vos relations et votre carrière afin d'être celui que vous êtes maintenant. En transformant vos mémoires négatives en compréhensions positives, vous pouvez accéder plus rapidement à votre nouveau futur.

Vous pouvez vous libérer de votre passé en l'aimant

Chaque fois qu'un mauvais souvenir vous rend triste, mécontent de votre comportement, vous désignant comme victime ou projetant une image négative de vous-même, arrêtez! Considérez le bienfait qui découle de cette expérience. Il se peut que vous ayez tant appris de cet événement que vous n'ayez jamais reproduit ce genre de comportement de toute votre vie et que vous en ayez changé votre voie. Cela vous a peut-être permis de nouer des liens importants ou de développer de nouvelles qualités ou traits de caractère. Vous avez peut-être rendu service et aidé de nombreuses personnes grâce à ce travail. Ainsi vos parents ont-ils pu développer votre force et votre volonté intérieures en vous créant des obstacles. Les personnes qui désirent se muscler utilisent des poids à cet effet. Vos parents ont agi comme des poids afin de développer votre force intérieure. Tout ce qui vous est arrivé dans le passé était là pour votre bien. Si vous pouvez croire que l'univers est bienveillant et qu'il crée toujours le meilleur à votre intention, vous pouvez alors jouir d'une vie plus paisible et plus sereine.

Observez votre existence actuelle. Si vous désirez avoir une vision plus vaste, asseyez-vous un instant et imaginez que vous voyagez dans le futur. Si vous affrontez un nouveau défi qui requiert des talents que vous ne possédez pas encore, imaginez-vous évoluant dans le futur et vous unifiant à votre soi futur; attirez en vous toute la connaissance que votre soi futur possède déjà. Il se peut que vous n'en ayez pas conscience avant d'en éprouver le besoin, mais l'énergie et le savoir que votre futur soi peut vous transmettre, facilitent votre vie ici et maintenant. Si vous devez prendre une décision ou résoudre un problème, visualisez-vous cinq ans plus tard en train d'observer votre situation présente d'un point de vue global. Ensuite, unissez-vous avec votre soi futur, parce qu'il est plus facile de savoir, vu de cette perspective, comment agir dans le moment présent. Vous pouvez même imaginer que vous êtes ce soi futur et que vous vous adressez à votre soi présent de cette perspective future. Vous pouvez tout concilier et savoir pourquoi vous traversez cette expérience présente; vous affirmez ainsi à votre soi présent le bon aloi de tout ce qui arrive. Votre soi futur est réel; il n'est séparé de vous que par le temps. Il peut vous parler et vous aider à savoir ce qu'il convient de faire dans le présent; il peut aussi vous guider, pour arriver au mieux là où vous le voulez.

Lorsque vous imaginez votre futur,
ne pensez pas que vous serez
celui que vous êtes aujourd'hui

Vous serez plus évolué, plus sage, plus ouvert. Les problèmes d'aujourd'hui seront résolus. Les problèmes créent une concentration de l'attention. Ils sont appelés problèmes parce que vous n'en détenez pas encore les solutions, et qu'une partie spécifique de vous-même n'est pas encore activée ou mature pour connaître la manière appropriée d'agir dans cette situation. Souvent, vous créez des problèmes pour permettre à de nouvelles formes de comportement de s'édifier et à une partie de vous-même d'évoluer. Vous pouvez faire cela sans créer de crises ni prêter attention aux chuchotements de votre esprit, et en passant quelques minutes à vous imaginer dans le futur. Vous pouvez faire naître en vous de nouvelles images de l'être que vous voulez être, et ainsi, vous pouvez éliminer de votre vie les situations et les choses qui ne correspondent pas à ces images.

Le corps émotionnel a beaucoup à gagner de cette reconstruction positive, car chaque fois que vous formulez une pensée négative ou que vous vous trompez, votre corps émotionnel change ses vibrations et votre énergie décroît. Lorsque l'intensité vibratoire diminue trop, votre magnétisme change et vous attirez à vous des personnes et des événements qui amplifient cette chute d'énergie. Dès que vous vous prenez en charge et que vous harmonisez votre conscience avec des pensées élevées, en créant des images de joie dans votre esprit, vous augmentez les vibrations de votre corps émotionnel. Ensuite, vous ne désirerez partager votre vie privée qu'avec des personnes cultivant ces sentiments élevés. Si, malgré tout, les personnes de votre entourage sont constamment déprimées, en colère, ou dans des états émotionnels négatifs, cherchez à savoir quelle pensée vous porte à croire que cet environnement est bénéfique pour vous.

La plupart d'entre vous entretiennent dans leurs relations des habitudes et des schémas qu'ils reproduisent indifféremment selon les personnes rencontrées. Si vous désirez abandonner ces schémas, vous découvrirez mille et une façons de resserrer vos liens avec les autres. Si vous vous concentrez sur un aspect négatif existant dans une relation, vous intensifierez cet aspect. Tout ce qui fonctionnait bien dans votre relation se détériorera petit à petit. D'un autre côté, si vous vous centrez sur ce qu'il y a de meilleur en votre prochain, prenant conscience de sa beauté, partageant ce que vous aimez en lui, vous constaterez que tout ce qui vous posait problème s'amenuisera, sans même avoir à lever le petit doigt en vue d'une hypothétique solution. Plus vous vous focalisez sur vos problèmes relationnels, sur ce qui ne tourne pas rond pas chez les autres, et plus vos relations se dégradent. Lorsque deux êtres se rencontrent, ils sont tellement centrés sur ce qu'il y a de meilleur en l'autre, qu'ils voient la vie en rose. C'est un grand cadeau mutuel, car lorsque chacun s'adresse à ce qu'il y a de meilleur en l'autre, cela aide l'autre à créer ce meilleur.

Aimer les autres,
c'est prendre l'engagement de leur conférer
une haute vision d'eux-mêmes, même si le
temps et la familiarité enlèvent les barrières

Pour la plupart d'entre vous, lorsque vous observez en l'autre, amant ou ami, quelque chose de différent de vous-même, vous engagez des compétitions et des luttes de pouvoir pour venir à bout de cette différence. Si, au lieu de cela, vous acceptez les vues de l'autre, sachant simplement qu'elles sont différentes des vôtres, il ne vous restera plus qu'à l'aimer. Vous n'avez pas besoin de convaincre les autres que vous avez raison, parce qu'alors vous sombrez dans des luttes de pouvoir avec eux. De même, vous ne devez pas vous laisser convaincre qu'ils ont raison. Etre positif ne signifie pas être aveugle. Cela signifie voir ce qui est bon en l'autre et ne pas se concentrer sur ce qui est mauvais (pour vous) ou différent.

Plus vous mettez l'accent sur les points négatifs ou les torts d'une personne, et plus vous mettez cette personne en insécurité; à partir de cette insécurité, vous créez et agrandissez les problèmes sur lesquels vous vous centrez. Vous pouvez dire à toutes les personnes qui entrent dans le champ de votre vie combien elles sont merveilleuses et les aider à prendre conscience de leur évolution. Chaque fois qu'elles se plaignent d'un problème ou de quelque chose qui ne tourne pas rond, vous pouvez les aider à voir combien cette situation leur est bénéfique, révélant ainsi les changements positifs qui leur sont offerts et les enseignements qu'elles peuvent en tirer.

Vous pouvez penser à votre travail -celui que vous faites ou celui que vous avez perdu, ou si vous désirez arrêter ce travail et en créer un nouveau- en tant que problème. Votre être supérieur a toujours un oeil sur vous. Il vous veille continuellement afin de voir si vos dispositions et votre personnalité, sur le plan physique ou émotionnel, sont suffisamment développées pour recevoir ce que vous désirez. S'il voit que vous n'êtes pas encore prêt, il vous détourne un moment pour prendre soin d'une partie de vous-même qui doit être développée. Vous devez peut-être faire preuve de certaines qualités pour rencontrer de nouvelles personnes ou changer votre environnement.

Votre être supérieur vous guidera dans la bonne direction afin que vous puissiez effectuer les changements auxquels vous aspirez et obtenir ainsi ce que vous désirez

41

Si votre champ de vision est suffisamment large, vous comprendrez que ce qui vous arrive dans le temps présent vous prépare à un plus grand futur. Cette semaine, lorsque vous surprendrez des personnes à se plaindre, dites-leur simplement: «Stop». Apprenez à utiliser votre voix pour arrêter les énergies des personnes qui se plaignent. Si vous les écoutez ronchonner, si vous écoutez leurs négativités, vous vous mettez dans une position où vous pourrez être affecté par leurs énergies inférieures. Vous n'avez nullement besoin d'écouter. En empêchant les personnes de raconter leurs histoires, particulièrement si celles-ci ne sont pas heureuses, vous les aidez à en sortir. Observez les gens cette semaine. Ne répètent-ils pas indéfiniment leurs tristes histoires? S'il en est ainsi, le contact que vous établissez avec eux se situe au niveau de la personnalité, alors qu'il pourrait s'effectuer à un niveau plus élevé.

Demandez-leur quels sont leurs intentions et leurs objectifs. Quel but plus élevé peuvent-ils créer? Recentrez-les sur le positif et vous ferez de même avec votre propre énergie. Cette semaine, faites en sorte d'écouter avec beaucoup d'attention toutes les personnes que vous rencontrez. Ecoutez les conversations dans les lieux publics. Si elles ne sont pas positives, arrêtez-les. Mais avant tout, envoyez mentalement à ces personnes la pensée que leur niveau de développement va évoluer; envoyez-leur aussi de l'amour pour ce qu'elles sont.

Regardez à la télévision, dans les journaux, dans les livres que vous lisez si des mots positifs sont employés. Est-ce qu'ils élèvent votre énergie, ou l'abaissent-ils en gravant ainsi des images négatives dans votre esprit? Vous êtes absolument libre de choisir ce que vous lisez et entendez. Personne ne vous oblige. Cette semaine, utilisez cette liberté et ce libre arbitre pour vous placer dans l'environnement le plus élevé et le plus porteur que vous puissiez créer. Regardez et observez de quel niveau les gens viennent . Vous vous apercevrez que vous avez beaucoup à offrir en aidant les autres à aller vers des espaces plus élevés. Sachez que vous pouvez porter la lumière et l'amener à chaque personne que vous contactez.

Transformer le négatif en positif
jeu

1 - Pensez à quelqu'un envers qui vous vous sentiez critique dernièrement. Sur quel sujet portaient vos critiques ?

2 - Que critiquez-vous en vous-même et qui soit identique ou opposé aux critiques adressées à cette personne? Par exemple, peut-être critiquez-vous un ami parce qu'il est toujours en retard. Vous pouvez aussi être fier d'être toujours à l'heure, mais, à regarder de plus près, vous êtes très critique envers vous-même à propos du temps.

3 - Pensez à un moment ou vous avez fait la même chose que vous critiquiez chez l'autre. Par exemple, si vous critiquez un ami qui ne vous rembourse pas de l'argent prêté, n'avez-vous pas omis de rembourser de l'argent emprunté à quelqu'un ?

4 - Pensez à une situation où vous vous êtes senti chaleureux et plein d'amour. Approfondissez ce sentiment. Maintenant, pensez de nouveau à la personne que vous critiquez. Que ressentez-vous pour elle maintenant que vous êtes chaleureux et plein d'amour? Tout comme vous regardez votre ami avec les yeux de l'amour et de la compassion, faites de même pour vous.

5 - Gardez ce sentiment de chaleur et d'amour. Pensez aux critiques que vous faites envers vous-même. Vous sentez-vous plus chaleureux et plein d'amour envers vos comportements et attitudes ?

5

L'ART DE CULTIVER
L'AMOUR DE SOI

Il existe maintes façons de pratiquer l'amour de soi et chaque événement est l'occasion de vous aimer. En fait, tout peut vous donner l'occasion de vous aimer. Lorsque tout semble être contre vous, ce n'est que pour mieux vous montrer les pouvoirs dont vous disposez. Je suis sûr que si je vous demandais de faire la liste de ce que vous aimeriez faire, elle serait longue. Il se peut qu'une partie de vous-même vous rappelle que vous ne la mettrez pas à pied d'oeuvre, et la bataille intérieure commence. Cette guerre intérieure, qui peut vous épuiser et vous induire en erreur, n'est pas la meilleure façon d'utiliser votre énergie.

Cultiver l'amour de soi signifie s'accepter tel que l'on est ici et maintenant

Il n'existe pas d'exception à cet énoncé; il s'agit de passer un accord avec vous-même pour apprécier, valider, accepter et soutenir ce que vous êtes en ce moment. Cela signifie vivre dans le moment présent. Beaucoup d'entre vous regardent vers le passé avec regret, revoyant comment ils auraient pu maîtriser certaines situations avec plus d'élévation, imaginant que s'ils avaient fait ceci ou cela, les choses auraient mieux tourné. Certains d'entre vous regardent vers l'avenir afin d'invalider l'être qu'ils sont dans le présent. Le passé peut vous aider si vous vous souvenez des moments de succès, créant alors une

mémoire positive; le futur peut être votre ami si vous visualisez la prochaine étape. Ne vous culpabilisez pas de n'être pas encore parvenu à l'étape suivante. Il est très important de vous aimer tel que vous êtes au moment présent, sans réserve.
Cultiver l'amour de soi se situe au-delà de l'attachement et du détachement. Vous existez dans un corps physique et chacun d'entre vous possède un centre que vous appelez «Je». Ce «Je» vous a été donné afin de vous séparer du grand tout pour vous permettre d'expérimenter une particularité de l'être. Le bagage des expériences que vous avez faites jusqu'à ce jour représente l'enseignement pour lequel vous êtes né. Que vous le qualifiez de bon ou de mauvais, il compose votre être, votre unicité et votre but. Si vous pouviez être à ma place, vous vous verriez comme un cristal aux multiples facettes. Chacun d'entre vous est complètement différent des autres : une combinaison unique d'énergie. Chacun de vous est beau, spécial, original, comme l'est chaque cristal. Vous réfléchissez la lumière de façon particulière; de même, votre aura est différente de celle des autres. Si vous pouviez apprécier votre unicité et prendre conscience que le chemin que vous avez choisi est différent de tous les autres chemins, il vous serait plus facile de vous détacher des autres points de vue et de suivre votre propre guidance.
Une des façons de vous aimer davantage consiste à ne plus vous comparer aux autres. Bien que vous soyez une partie du tout, vous êtes aussi un individu ayant son chemin propre. Les systèmes de croyance de votre ethnie ou de votre famille, que vous avez assimilés comme vôtres, peuvent être un obstacle à cet amour de soi. Vous avez peut-être entendu ceci : «Tout le monde dit qu'il est bon de méditer»; alors, vous vous culpabilisez de ne pas méditer. Le défi de l'amour de soi est au-delà de tout ce qui vous a été dit. Aussi, posez-vous la question: «Est-ce que cela me convient? Est-ce que cela m'apporte de la joie? Est-ce que je me sens bien lorsque je médite?» . Seule votre expérience personnelle compte.
La tentation est grande de faire d'une autre personne, ou même d'une chose comme un livre, une autorité et de mettre à

l'extérieur de vous-même la capacité de juger de ce qui est bon pour vous. Vous retirerez d'immenses bienfaits à être en présence de maîtres, mais seulement pour apprendre à recevoir les informations et à évoluer par vous-même. Je suis là pour ouvrir les portes; je ne veux pas prendre votre pouvoir, mais plutôt vous le restituer. Lorsque vous êtes en présence d'un maître ou auprès de toute personne à laquelle vous conférez une certaine autorité dans votre vie, et cela peut être un ami, questionnez et écoutez avec beaucoup d'attention ce qu'il ou elle dit. Vous pouvez prendre ses affirmations pour la vérité et il est important de vous demander si ce qu'il ou elle dit est vrai uniquement pour lui ou elle, ou si cela vous convient à vous aussi.

Cultiver l'Amour de Soi c'est se libérer de la culpabilité

Cette société est lourde de culpabilité. La plupart des rapports entre les êtres émanent du plexus solaire, centre de pouvoir, à partir duquel chacun peut se persuader, se convaincre, se contrôler et manipuler. Aimer le Soi signifie sortir de ce genre de relations. A cette fin, vous aurez soin de vous affranchir de la culpabilité.

Si vous ne jouez pas le même jeu que ceux qui vous entourent, vous pouvez percevoir qu'ils se sentent trahis. Ils veulent que vous pensiez ou agissiez conformément à leurs images; aussi tentent-ils de prendre pouvoir sur vous par la culpabilisation. Bien souvent, les parents ne connaissent pas d'autres moyens de contrôler les situations; ils utilisent la culpabilisation, la colère et privent leurs enfants de leur amour afin de les dominer. Lorsque vous vous sentez fort et responsable de votre vie, vous pouvez être centré sur votre cœur. Lorsque vous manquez d'assurance, vous pouvez ressentir le besoin de manipuler et d'engager des luttes de pouvoir afin d'obtenir ce que vous désirez. Vous pouvez aussi penser que vous devez des excuses pour votre comportement, ou que vous devez mentir pour protéger la susceptibilité des autres personnes.

En agissant ainsi, vous ne vous aimez pas; au contraire, vous envoyez à votre subconscient le message que vous n'êtes pas assez bien ou que les autres ne peuvent pas vous accepter tel que vous êtes. Si vous désirez être libre, il est important de ne pas manipuler les autres, mais de leur donner la liberté. Au début, vous aurez peut-être l'impression d'avoir perdu un peu de votre contrôle si vous permettez aux autres de faire ce qu'ils désirent de leur vie. Mais vous créerez, entre vous et les autres, un nouveau seuil d'honnêteté et d'amour, qui serait irréalisable si vous n'aviez pas votre courage et ce désir d'abandonner tout contrôle.

Vous pouvez apprendre à être détaché de la réaction des autres personnes et de vos propres émotions, si elles vous éloignent de votre centre de sérénité et de clarté. S'aimer soi-même signifie s'affirmer avec compassion. Lorsque vous êtes disposé à vous montrer aux autres tel que vous êtes, vous permettez aux autres de se montrer aussi tels qu'ils sont. Les jugements représentent des obstacles à l'amour de soi. Chaque fois que vous jugez, vous séparez. Lorsque vous exprimez certaines opinions sur les autres, lorsque vous dites en regardant une personne : «Cette personne semble paresseuse, nulle, et porte des vêtements minables», vous créez le message dans votre subconscient que ce monde est un endroit où il est préférable d'agir d'une certaine manière pour être accepté. En rejetant les autres par vos jugements, vous imprimez dans votre subconscient le message que vous ne pouvez être accepté que dans certaines conditions. Cela mène tout droit à un dialogue intérieur d'auto-critique. Cela peut vous attirer beaucoup d'images négatives en provenance du monde extérieur, parce qu'en émettant ces images, vous avez créé un chemin qui leur permet de revenir droit sur vous.

Regardez les messages que vous envoyez aux autres personnes; les acceptez-vous avec un cœur plein d'amour, sans les critiquer, ni les rabaisser? Est-ce que vous leur souriez? Les considérez-vous comme des amis, leur permettez-vous de se sentir en accord avec eux-mêmes, ou les ignorez-vous complètement? Si vous les acceptez, même télépathiquement (c'est à dire dans votre esprit), vous les aidez à rencontrer leur être supérieur. Vous constaterez alors que les autres personnes vous acceptent avec plus d'amour.

Vos croyances de la réalité créent votre expérience

Cela peut se produire par des voies subtiles. Si vous pensez que les gens ne vous acceptent pas tel que vous êtes, et si vous pensez que vous devez faire tout votre possible pour leur faire plaisir, alors vous attirerez dans votre vie des personnes de ce genre. Vous remarquerez que vous rencontrez vos amis aux moments où ils sont fatigués et repliés sur eux-mêmes. Ce que vous croyez être vrai à propos des amis et des autres personnes de votre vie vous portera à créer cette expérience avec eux. Si vous dites : «Cet homme est chaleureux et plein d'affection à mon égard», vous créez cela dans votre relation avec lui.

Pour évoluer dans un sens plus élevé de l'amour de soi, commencez par identifier ce que vous considérez comme des faits à propos de la manière dont le monde fonctionne. Si vous pensez que le monde est froid et impassible ou que vous devez fournir beaucoup d'efforts pour atteindre votre objectif, ces convictions se dressent entre vous et l'amour que vous pourriez vous porter. Une croyance est ce que vous considérez comme une vérité de la réalité. Vous pouvez dire: «C'est une réalité quand lorsque je souris aux gens, ils me sourient en retour», mais ceci peut être un fait réel pour vous et non pour quelqu'un d'autre. En effet, par cette croyance, vous pouvez choisir de façon subconsciente de ne sourire qu'aux seules personnes qui vous retourneront ce sourire. Si vous croyez que les gens ne vous retournent jamais le sourire que vous leur adressez, vous sélectionnerez automatiquement des personnes qui ne répondront pas à votre sourire.

Si vous désirez vivre dans un monde rempli de bonnes attentions et qui renforce vos images de l'amour de soi, commencez à faire attention à ce que vous dites de ce monde. Vous pouvez transformer vos rencontres avec les autres et avec le monde en changeant vos attentes. On a dit que «Le monde n'est pas juste, mais il est exact»; cela signifie que vous recevez exactement ce que vous attendez et espérez recevoir. Si vous faites un métier où vous «savez» qu'il est difficile de s'enrichir et que vous dites: «Peu de personnes s'enrichissent dans cette profession», vous créerez ce fait pour vous-même. Vous gardez une certaine vision de la réalité, et elle sera alors l'expérience que vous en ferez, non seulement au niveau professionnel mais aussi avec les personnes que vous rencontrerez. Tout ce que vous devez faire, c'est transformer vos attentes; ainsi, vous ferez l'expérience d'un monde différent.

Parmi les qualités de l'amour de soi se trouve le pardon. Certains d'entre vous s'accrochent encore à des souvenirs, ressentant toujours de la colère. C'est cette irritation envers vous-même, ou peut-être envers une autre personne, qui vous maintient à un niveau si bas. L'être supérieur connaît le pardon. Si vous vous accrochez à une colère, une blessure ou un sentiment négatif envers quelqu'un, vous gardez cela dans votre aura. La personne à qui vous en voulez en est affectée, mais jamais autant que vous-même. Tout ce que vous portez en vous demeure dans votre aura et agit comme un aimant pour attirer en permanence ce genre d'événements. La raison essentielle pour laquelle vous pouvez pratiquer le pardon, c'est parce qu'il purifie et guérit votre aura.

L'amour de soi implique aussi l'humilité, en tant qu'expression du cœur et non de l'égo. L'humilité dit: «Je suis ouvert; je suis prêt à écouter; je n'ai peut-être pas toutes les réponses». L'humilité est une des qualités qui vous permet de recevoir plus, parce qu'elle implique l'ouverture. Il ne s'agit pas de faire preuve de peu de confiance, mais plutôt d'une forte présence de foi et de confiance en soi.

Seuls ceux qui sont en harmonie
avec eux-mêmes peuvent exprimer l'humilité

Ceux qui agissent avec le plus d'arrogance et de confiance calculée sont ceux qui ne possèdent pas encore les caractéristiques qu'ils essaient d'afficher. Les personnes qui s'aiment vraiment sont remplies d'amour, généreuses et attentionnées; elles expriment la confiance qu'elles ont en elles-mêmes par l'humilité, le pardon et leur vision holistique. Si vous connaissez des personnes d'apparence sage et qui, pourtant, abaissent les autres, rejettent leurs amis, ou les culpabilisent — quelle que soit l'élévation de leurs paroles et de leurs enseignements— je peux vous assurer qu'elles ne pratiquent pas l'amour de soi. S'aimer soi-même implique la foi, la confiance et la croyance en ce que l'on est et dans le désir d'agir. Il n'est pas suffisant de ressentir cette foi et cette confiance; il faut aussi en faire l'expérience dans le monde extérieur. Vous êtes un être physique et la joie vient en regardant autour de vous toutes ces choses qui expriment votre beauté intérieure : un jardin, les fleurs, les arbres, votre maison, l'océan. Tout cela est la récompense de vos actions et de votre confiance en vous; vous avez agi en suivant votre chemin et votre vision. L'ultime défi de l'amour de soi est la mise en pratique, le partage avec les autres et la création, en ce monde, d'un paradis sur Terre.

Il ne suffit pas de donner et d'irradier de l'amour; l'amour de soi vient aussi de l'amour reçu. Si vous envoyez de l'amour à tout le monde, mais que personne ne sache le recevoir, cet amour n'a aucune destination. Vous rendez un grand service aux autres en acceptant leur amour.

Un des plus grands cadeaux que vous puissiez faire aux autres consiste à vous ouvrir à leur amour

Dans chaque relation, entre un homme et une femme, ou entre deux hommes ou deux femmes, la réussite dépend de la capacité de chacun à recevoir l'amour de l'autre. Cependant, si vous donnez 100%, et si votre partenaire reçoit 50%, alors ce que vous recevrez en retour sera 25%, et ainsi de suite. En fin de compte, vous vivrez de moins en moins d'amour entre vous. Pour vivre un plus grand amour, soyez prêt à recevoir les cadeaux des autres, qu'il s'agisse d'amour, d'amitié ou de soutien.

Si vous désirez que votre être supérieur soit présent dans votre vie quotidienne et que vous exprimiez cet amour de soi, choisissez une qualité spécifique de l'âme et, dès que vous en avez l'occasion, pensez-y. Parmi ces qualités, on peut distinguer la paix, l'appréciation, l'humilité, l'harmonie, la joie, la gratitude, la santé, l'abondance, la liberté, la sérénité, la force, l'intégrité, le respect, la dignité, la compassion, le pardon, la volonté, la clarté, la créativité, la grâce, la sagesse et l'amour. En méditant sur ces qualités, vous les attirez dans votre aura et vous les renforcez. Les autres personnes les reconnaîtront en vous. Vous êtes ce que vous pensez. Si chaque jour vous sélectionnez une des qualités de votre être supérieur, que vous méditez et vous identifiez à elle, elle deviendra une expérience pour vous.

L'amour de soi implique le respect du soi ainsi qu'une vie orientée vers le but ultime. Lorsque vous donnez à vous-même, à votre temps, à votre amour et à votre vision, une certaine valeur, les autres personnes tendent à faire de même. Avant de rencontrer vos amis, cherchez à savoir quel but élevé vous pourriez accomplir ensemble. Ne vous est-il pas déjà arrivé de rester chez quelqu'un alors que vous désiriez partir, mais sans oser le faire de peur de blesser cette personne? Si cela vous est arrivé, vous donniez, à ce moment-là, plus de valeur à cette personne qu'à vous-même. Vous lui envoyiez télépathiquement le message qu'elle n'avait pas à respecter votre temps ou vous-même, et il n'est pas surprenant qu'elle se soit permis d'agir ainsi. Chaque fois que vous vous valorisez et que vous vous respectez, chaque fois que vous parlez avec conviction de ce que vous êtes et que vous faites ce qu'il faut, non seulement vous évoluez, mais encore vous aidez les autres par votre exemple. L'incapacité à dire «non» aux autres reflète une vision du monde révélant que les sentiments des autres sont plus importants, que leurs droits sont prépondérants et qu'ils doivent être considérés en priorité. Lorsque vous agissez ainsi, vous créez des blocages énergétiques en vous-même, accumulant des ressentiments, de la colère, des blessures, qui s'engrangent dans votre aura, attirant alors davantage ce genre de situations.

L'amour de soi vient du cœur; il requiert gentillesse et amour inconditionnel. Certaines personnes pensent que l'amour de soi implique d'agir avec force en utilisant sa volonté de manière agressive et en déniant les droits des autres. Vous connaissez de ces gens qui vont de l'avant et ne se préoccupent guère de l'effet qu'ils ont sur les autres. Vous dites d'eux qu'ils sont sans pitié. Souvent, lors de telles occasions, vous faites preuve d'agressivité envers vous-même, une partie de vous cherchant à dominer et à contrôler les autres parties.

Quelquefois, la volonté agit comme si elle était l'ennemi, essayant de forcer, de diriger et de vous faire accomplir certains actes. Il en est de même quand vos parents se tiennent au-dessus de vous. Et, pour ne pas arranger les choses, il vous arrive même de penser que ce que votre volonté essaie de vous forcer à faire, elle le fait pour votre plus grand bien. Par exemple, vous pouvez passer votre temps à vous reprocher de n'être pas plus organisé, ou de ne pas commencer quelque chose que vous avez tardé à entreprendre. Vous pouvez avoir une liste sans fin des choses que vous deviez faire et vous vous sentez coupable de ne pas les avoir encore faites. Voilà qui donne bon droit à votre volonté et met votre autre soi dans l'erreur, ce soi qui résiste à la directive donnée par la volonté. Dans ce cas, vous utilisez votre volonté contre vous-même. Il se peut que votre être supérieur ait créé ces résistances pour vous empêcher de faire certaines choses et qu'il vous dirige vers un autre chemin.

Si elle est utilisée en harmonie avec votre cœur pour vous aider à suivre le chemin que vous aimez, votre volonté vous aide à augmenter votre amour pour vous-même. La volonté peut servir d'axe de concentration. Uni à ce que vous aimez faire, il n'y a plus de limite à vos possiblités et à ce que vous pouvez transcender. Avez-vous remarqué que, lorsque vous pratiquez votre distraction favorite, vous pouvez y passer des heures entières et rien ne peut vous démobiliser. La volonté est une force et, comme si vous nagiez dans une rivière, vous pouvez vous laisser porter par elle ou lutter à contre-courant. Vous pouvez l'utiliser, soit pour avancer sur votre chemin, soit pour vous punir constamment de vos apparentes transgressions. Par quel système êtes-vous motivé? Votre volonté vous aide-t-elle, en augmentant votre amour pour vous-même, en vous centrant sur le chemin de votre évolution, et en créant les intentions et les motifs de vos actions?

Ne vous prenez pas au sérieux

Riez et jouez. Le monde ne va pas s'écrouler si quelque chose ne tourne pas rond. L'humour est peut-être l'une des plus grandes avenues vers l'amour de soi. La faculté de rire, de sourire aux autres et de remettre votre problème dans de justes proportions est un art raffiné. Tous ceux qui sont parvenus à ce haut niveau d'amour de soi regorgent souvent d'humour; ils ont beaucoup d'esprit et aiment amener les autres à cet état enfantin du jeu. Ils aiment être spontanés, trouvent toutes les raisons de sourire et sont capables de mettre tout le monde à l'aise et en harmonie.

Cette semaine durant, regardez les personnes autour de vous et observez (sans jugement) si ces personnes s'aiment elles-mêmes. Si vous éprouvez quelques difficultés avec ces personnes, voyez dans quel aspect se situe le problème et cherchez à savoir si ces personnes aiment cet aspect particulier d'elles-mêmes. Envoyez-leur votre compassion afin de les aider pour leur plus grand bien et comme elles le désirent. Soyez heureux de l'amour que vous leur avez envoyé alors qu'il vous revient pour votre plus grand bien.

L'art de cultiver l'amour de soi

1 - Comment pouvez-vous savoir si vous pensez ou agissez avec amour à votre égard?

2 - Comment serait demain, si vous agissiez toujours au travers d'actes d'amour envers vous-même?

3 - A quoi ressembleraient vos actions si vous vous aimiez vraiment au niveau de votre corps physique, de votre relation d'amour avec votre partenaire, de votre travail et votre carrière?

4 - Que ferez-vous demain, si vous vous aimez vraiment, dans votre relation d'amour, dans votre travail, avec votre corps physique ?
Enumérez trois actions particulières que vous accompliriez dans chacun de ces trois domaines ?

6

LE RESPECT DE SOI,
L'ESTIME DE SOI,
LA VALEUR PERSONNELLE

Il existe différentes façons de se sentir bien avec le soi et celles-ci varient d'une personne à l'autre. Ce qui est utile pour votre estime personnelle ne l'est pas nécessairement pour celle d'une autre personne. Il est indispensable de trouver ce qui vous convient et vous aide à être conscient de votre propre valeur, pour que vous soyez confiant et heureux de ce que vous êtes. Au niveau le plus élevé, le respect de soi implique d'honorer son âme. Cela signifie que vous devez parler et agir avec un niveau d'honnêteté et d'intégrité qui soit le reflet de votre être supérieur. Cela signifie que vous devez affirmer vos croyances — vous n'avez pas à convaincre les autres de partager celles-ci — et agir d'une manière qui reflète vos valeurs. Pour la plupart d'entre vous, vous critiquez les autres parce qu'ils ne vivent pas avec un système de valeur que vous considérez comme juste; mais, en y regardant de plus près, vous ne vivez peut-être même pas ainsi vous-même.

Vous connaissez certainement des personnes qui donnent toujours aux autres les meilleurs conseils, mais qui ne les suivent point. Le respect de soi demande d'agir suivant ses propres valeurs et de croire en ce que l'on dit.

Vous prétendez croire en certaines valeurs, mais vous agissez avec d'autres valeurs. Cela conduit à mille conflits intérieurs. Par exemple, vous croyez profondément en la monogamie, mais votre partenaire vous demande de vivre l'amour libre. Vous acceptez ce point de vue parce que vous désirez garder votre partenaire. Vous croyez en certaines valeurs, mais en acceptant de vivre avec d'autres, vous générez maints conflits et beaucoup de douleur.

Comment pouvez-vous savoir si ces valeurs, avec lesquelles vous «pensez» vouloir vivre, sont réellement les vôtres? La plupart du temps, vous ne pouvez le savoir avant de l'avoir vécu. Vous pouvez penser que toute personne vraiment bien se lève tôt le matin, alors que vous persistez à faire la grâce matinée. Nombre d'entre vous ont certaines valeurs en tête et n'arrivent pas à les vivre. La meilleure solution est de tester ces valeurs en faisant, par exemple, l'expérience de vous lever de bonne heure plusieurs jours de suite. Dans la majorité des cas, vous observerez que ce que vous pensiez être des valeurs personnelles ne sont que des «tu devrais» imposés de l'extérieur par d'autres personnes, et lorsque vous les mettez en application, vous vous apercevez qu'elles ne vous correspondent pas. Cherchez à connaître vos valeurs. Comment, selon vous, les gens «biens» agissent-ils? Suivez-vous ces valeurs? Il est difficile de vous sentir bien si vous vivez à l'encontre des valeurs qui existent au fond de vous. Il est important d'examiner vos valeurs puis, soit de les vivre, soit de les changer.

Le respect de vous-même doit naître de votre pouvoir et non de votre faiblesse

Lorsque vous vous plaignez que quelqu'un ou quelque chose vous rend triste ou vous met en colère, posez-vous la question: «Pourquoi est-ce que je choisis ce sentiment ou cette réaction?». Blâmer les autres amenuise toujours votre pouvoir. Si vous pouvez découvrir les raisons pour lesquelles vous avez choisi de vous sentir blessé, vous apprendrez beaucoup sur vous-même. Certains d'entre vous ont peur de perdre l'amour des autres, s'ils prennent fait et cause pour eux-mêmes. Certaines personnes sont très habiles lorsqu'il s'agit de vous convaincre que vous êtes dans votre tort alors que vous défendez vos croyances. Remerciez-les silencieusement de vous donner cette opportunité de devenir plus fort, parce que, souvent, la force se développe au contact de l'adversité. Avoir le respect de soi signifie rester auprès de vos vérités les plus profondes et connaître vos sentiments les plus intimes. Cela signifie que vous reconnaissez que la décision de vos sentiments vient de vous et non des autres.

Certains d'entre vous s'associent, ou vivent avec des personnes qui les déprécient et les culpabilisent. Vous pouvez cesser de focaliser sur les sentiments des autres au point d'en oublier les vôtres. Une femme était mariée à un homme qui la culpabilisait constamment et critiquait tout ce qu'elle faisait. Elle était tellement centrée sur les sentiments de son mari qu'elle ne s'était jamais intéressée à savoir, en tant d'années partagées ensemble, ce qu'*elle* ressentait de la façon dont il la traitait. Elle faisait tout son possible pour lui faire plaisir, essayant d'anticiper ses états d'âme et ses fantaisies, afin de n'être jamais prise en défaut. Pourtant, cela se terminait toujours par les colères de son mari à son égard. Elle finit par penser qu'elle ratait tout et qu'elle n'avait aucune valeur. Elle passait tant de temps à analyser les sentiments de son mari qu'elle n'était plus consciente des siens.

Beaucoup d'entre vous essaient de faire plaisir aux autres, se concentrant ainsi sur les sentiments des autres et non sur les vôtres.

Etre conscient de sa valeur personnelle implique de faire attention à ses propres sentiments. Vous n'avez aucune raison à donner pour expliquer vos choix. Vous n'avez pas à prouver aux autres votre valeur. Acceptez vos sentiments; ne les analysez pas et même, n'en doutez pas. Ne vous questionnez pas sans cesse: «Ai-je raison de me sentir blessé?». Considérez vos sentiments comme réels et honorez-les de la sorte. De nombreuses personnes acceptent les autorités extérieures. Lorsqu'elles vous disent que vous n'êtes pas bien, vous acceptez. Lorsqu'elles vous disent que tout est de votre faute, vous acceptez. Je ne veux pas dire par là que vous devez ignorer complètement ce que les autres vous disent, mais vous devez avant tout honorer ce que *vous* ressentez. Il faut bien faire la distinction entre rester ouvert aux critiques constructives et essayer de faire ce que les autres vous disent de faire alors que vous ne le voulez pas. Créer l'estime de soi et de sa valeur implique le respect de ses sentiments, de son chemin et de sa direction. Cela signifie le respect de soi en parole, en action et en comportement.

L'estime de soi signifie que vous croyez en vous, sachant que vous agissez au meilleur de vous, même si, dans les jours qui suivent, vous connaissez de meilleures façons d'agir. Cela implique que vous sentiez que vous avez raison et que vous vous sentiez bien envers vous-même. Certains d'entre vous sont toujours au maximum d'eux-mêmes, se poussant, se «défonçant» pour y arriver, tout en sachant que, quoiqu'ils fassent, ce ne sera jamais assez. L'acharnement excessif vers un but n'est absolument pas nécessaire sur le chemin de la joie. Respectez-vous en suivant bien votre rythme intérieur. Reposez-vous, jouez, pensez et prenez le temps de rester en silence. Accomplir ces différentes activités qui vous nourrissent, sont les moyens d'augmenter votre estime personnelle.

Les autres personnes vous traitent de la façon dont vous vous traitez

N'attendez pas que les autres vous respectent et vous traitent de manière plus positive.

Ils ne le feront pas tant que vous ne vous respecterez pas. Vous n'avez pas à perpétuer une relation avec des gens qui ne vous respectent pas ou qui ne vous traitent pas bien. Si vous êtes en compagnie de telles personnes, agissez avec dignité et n'oubliez pas qu'elles ne vous respectent pas, de même façon qu'elles ne se respectent pas elles-mêmes. Vous pouvez envoyer un message télépathique sur la manière dont vous voulez être traité. Les gens ne vous manipulent que si vous les laissez faire.

Vous n'avez pas à vous mettre en colère ou à réclamer vos droits, sinon tout cela va engendrer des luttes de pouvoir. Gardez votre cœur ouvert. Ces personnes ne sont pas capables de reconnaître leur être supérieur: il leur est donc impossible de respecter le vôtre. Vous ne désirez pas que votre estime personnelle soit basée sur la manière dont les autres vous traitent et vous voient. Quelque soit le sentiment élevé que vous éprouviez envers vous-même, vous rencontrerez toujours des personnes irrespectueuses envers vous, tout simplement parce qu'elles n'ont pas appris à se traiter elles-mêmes avec amour. Les relations que vous entretenez avec les autres ne peuvent être meilleures que les relations que ces personnes ont avec elles-mêmes. Si elles ne savent pas s'aimer, cela impose une limite à l'amour qu'elles vous portent. Quelles que soient la bonne volonté et la gentillesse que vous y mettiez, elles ne peuvent pas vous donner l'amour que vous cherchez. Le pardon est la clé pour rester à l'aise face au comportement des autres personnes à votre égard. Abandonnez aussi toute colère, laissez simplement tout cela partir et pensez à autre chose.

Parmi vous, certaines personnes pensent que leurs parents sont responsables de leur manque de confiance. Vous ne pouvez pas blâmer vos parents, parce que ce sont vos réactions à leur égard qui ont créé ce manque de confiance. Deux enfants peuvent vivre dans une famille à tendance négative, pourtant l'un d'eux grandira avec une bonne estime de soi et l'autre pas. C'est vous qui décidez de ne pas vous sentir bien. Plutôt que de vous sentir accablé par votre enfance et victime de votre éducation, comprenez bien que c'est vous qui avez choisi ces situations afin d'apprendre et de permettre à votre âme d'évoluer. Vous pouvez dire : «J'ai tendance à me faire avoir par les hommes parce que mon père me maltraitait». Vous êtes venu sur Terre pour apprendre certaines dimensions de l'amour et si vous ne les avez pas apprises de votre père, vous choisirez des hommes vivant les mêmes schémas, afin qu'ils vous enseignent ce que vous devez apprendre. Par exemple, si vous avez été maltraité par votre père durant votre enfance, alors, vous pourrez vous apercevoir que vous êtes attiré par ce genre d'homme, jusqu'au jour où vous décidez de ne plus être traité de la sorte. Une des leçons que vous êtes venu apprendre dans cette vie est peut-être de vous aimer et vous respecter; alors, vous créez des situations qui vous jettent ce défi. Dès que vous décidez d'agir ainsi, tous ces schémas répétitifs cessent.

Chaque situation de votre vie est créée par votre âme dans le but de vous enseigner à développer plus d'amour et de puissance

Les enfants répondent de différentes manières à une même éducation, comme cela peut s'observer chez des frères et sœurs. Certains enfants réagissent aux énergies négatives qui les entourent en développant l'amour et la douceur. D'autres sont si sensibles, qu'ils préfèrent ne pas ressentir ces énergies négatives et se coupent de leurs sentiments. D'autres encore sentent qu'ils doivent s'endurcir et afficher une image d'invulnérabilité. L'estime personnelle vient de votre volonté de reconnaître et d'aimer ce que vous êtes maintenant. Il est difficile de changer tant que vous n'acceptez pas ce que vous êtes dans le présent. Lorsque vous vous respectez et que vous respectez vos sentiments, les autres ne peuvent pas vous affecter.

Vous êtes une individualité riche de valeur, quel que soit votre passé, quelles que soient vos pensées, quelles que soient vos croyances. Vous êtes la vie elle-même, qui grandit, se développe et monte. Toute personne détient sa valeur, sa beauté, son unicité. Toutes les expériences que vous avez vécues vous enseignaient à créer de l'amour dans votre vie.

Il existe une différence subtile entre le respect de soi et l'égoïsme. Certains d'entre vous pensent qu'ils ont le droit d'être en colère parce qu'ils ont été meurtris. Respectez les sentiments des autres, mais faites-le de telle manière que vous respectez aussi vos propres sentiments. Pour cela, placez-vous à un degré très affiné de parole et de pensée. Si vous vous mettez en colère et si vous criez, cela vous place dans une lutte de pouvoir avec l'autre et ferme vos deux cœurs. Lorsque quelqu'un fait quelque chose que vous n'aimez pas, ouvrez votre cœur avant de parler. Si vous choisissez de vous manifester, formulez cela comme un ressenti, plutôt que comme une action subie. Vous pouvez dire : «Je me sens blessé» plutôt que: «*Tu* m'as blessé». Une manière particulièrement profonde de formuler cela consisterait à dire : «J'ai choisi de me sentir blessé». Chaque sentiment que vous éprouvez émane de votre choix.

Le respect de soi implique de savoir que vous choisissez vos sentiments à chaque instant

Lorsque vous communiquez avec les autres en respectant leur être profond, vous vous sentez toujours mieux. Vous avez peut-être remarqué que, lorsque vous exprimez par la colère ou la brutalité cette oppression située au niveau de votre poitrine, vous vous sentez moins bien après, et au pire, vous pouvez ressentir un sentiment d'incomplétude. Vous ne pouvez pas vous affranchir d'une situation si vous n'y mettez pas votre amour. De toutes façons, vous devrez résoudre plus tard toutes ces situations achevées dans la colère. Ce ne sera peut-être pas avec la même personne, mais vous créerez une situation identique avec une autre personne pour vous permettre de résoudre cela dans la paix et l'amour.

Il est important de respecter les autres. Si vous sentez que vous n'êtes pas respecté par les autres, sachez que c'est pour vous apprendre la compassion et la douceur dans *votre* façon d'être avec les autres. Etre sensible aux sentiments des autres est très différent d'essayer de leur faire plaisir. Gardez en vous le désir de discerner leurs besoins et leurs attentes. Parlez-vous sèchement aux autres sans prêter la moindre attention à leurs sentiments? Parlez-vous de façon désagréable? Restez conscient de l'énergie que vous émettez vers les autres, parce que vous recevrez cette même énergie en retour. Soyez plus attentif à l'effet que vous produisez sur les autres, car plus vous les respecterez et plus vous serez respecté. Respectez leur valeur,

leur temps et leurs concepts, et vous remarquerez qu'ils respectent les vôtres.

Certaines personnes respectent vraiment les autres et pourtant, elles ne reçoivent pas ce respect en retour. Dans ce cas, elles ne pensent pas mériter d'être aussi bien traitées, et elles permettent aux autres de se comporter ainsi avec elles. Il est facile de se respecter lorsque tout le monde vous respecte. Le défi est d'arriver à vous respecter alors que les autres ne vous adressent pas ce respect. Avant tout, pardonnez-leur et abandonnez tout désir de recevoir quelque validation. Lorsque vous avez besoin de la validation des autres pour vous sentir bien, vous perdez votre propre pouvoir.

Il est très gratifiant de savoir que les autres croient en vous, vous donnent leur confiance et vous aident. Pourtant, si vous désirez être fort, vous ne devez pas *ressentir le besoin* que les autres agissent ainsi pour avoir foi en vous-même. Par ce besoin constant de validation, les autres personnes deviennent une autorité usurpant la place de votre soi le plus profond. Votre vérité peut être différente de celle des autres. La seule erreur possible est de ne pas respecter votre vérité et d'accepter la vérité des autres, même si elle ne correspond pas à votre vérité. Certaines personnes croient dans la réincarnation, et d'autres n'y croient pas. Il se peut que la croyance en la réincarnation rende la vie plus facile et joyeuse; il se peut que la croyance en une vie unique rende celle-ci plus importante et réelle. Quelles que soient vos croyances, vous devez les respecter et rester ouvert à de nouvelles manières de voir les choses, si celles-ci peuvent vous apporter plus de joie dans la vie. N'acceptez pas des croyances ou des pensées automatiquement, à moins qu'elles ne sonnent juste pour vous. Respectez votre vérité, ayez foi en elle et affirmez-la, tout en conservant votre compassion pour les autres personnes.

N'oubliez pas que vous comptez, que vous êtes important, et que vous avez une contribution unique et spécifique à apporter au monde. Sachez que votre être est spécial. Vos rêves et vos buts sont aussi importants que ceux de toute autre personne.

Le respect de soi, l'estime de soi, la valeur personnelle

1 - Pensez à un schéma comportemental dont vous semblez faire régulièrement l'expérience avec les gens qui vous entourent. Ecrivez-le:

2 - Détendez-vous, relaxez-vous et entrez en vous-même. Questionnez votre soi le plus sage et le plus profond afin qu'il vous montre ce que vous devez en apprendre. En quoi cela vous apprend-il le respect et l'amour de vous-même?

3 - Quelles qualités d'âme pouvez-vous développer dans cette optique? Par exemple : vos qualités de compassion, d'honnêteté, de vérité exprimée, de paix, d'amour de soi, d'humilité, de douceur, de responsabilité, etc...

7

PURIFIER L'EGO
AFFIRMER SON IDENTITE

Il est important de reconnaître celui que vous êtes réellement, sans faire preuve d'égotisme ou d'humilité. C'est un problème à double tranchant, dans l'affirmation de votre être. La plupart d'entre vous n'ont pas trouvé une image de puissance qu'ils voudraient imiter. Les images et modèles de gens puissants proviennent, pour la plus grande part, de personnes ayant abusé ou mal utilisé cette puissance. Par conséquent, vous avez contenu votre puissance car vous n'en aviez que des images négatives.

Il est important de développer des images positives liées à la nature de la puissance

Pour la plupart d'entre vous, vous êtes très engagés, vous possédez beaucoup de sagesse et d'intuition, et vous cherchez à les exprimer dans le monde matériel. Apprenez à différencier les personnes ayant une réelle influence et qui rayonnent de lumière, de celles qui ne portent qu'un manteau de puissance. Cette aptitude vous aidera sur le chemin de la joie et elle vous permettra de reconnaître votre véritable noblesse. Pensez maintenant à une personne, homme ou femme, que vous considérez comme puissante. Qu'admirez-vous en cette personne ? Chacun de vous connaît des personnes pourvues d'une forte autorité et pourtant, en leur présence, vous vous sentez déprécié, ignoré ou rabaissé. Je parle de ces personnes, apparemment dans une situation de pouvoir et de contrôle, et qui sont entourées de nombreuses autres personnes. Le véritable pouvoir est la capacité de motiver, d'aimer, d'encourager et d'aider les autres à reconnaître leur être profond.

Pensez à des personnes que vous connaissez et qui ont changé votre vie. Leur rencontre vous a permis d'être plus inspiré et plus ouvert. Pensez à la manière dont ces personnes usent de leur influence. Il est important de reconnaître les personnes qui rayonnent cette lumière, elles sont très différentes les unes des autres. Il est aussi temps d'être attentif à toutes ces personnes qui ne vous conduisent pas sur le chemin de la joie et de la lumière. Si vous pouvez clairement identifier les personnes qui vous veulent du bien, et si vous pouvez partager leur présence régulièrement, votre développement s'accélèrera; ainsi, vous pourrez offrir aux autres infiniment plus.

Les personnes évoluées sont de douces âmes. Certaines de ces âmes évoluées ne savent même pas encore qui elles sont; elles sont peut-être trop humbles. Elles sont, la plupart du temps, très généreuses, amicales et prêtes à venir en aide. C'est un peu comme si elles ne savaient pas quoi faire pour vous être agréable. Je parle d'un certain niveau de développement où les personnalités ne sont pas conscientes du niveau de leur âme. De nombreux êtres, parmi vous, sont trop humbles; ils portent encore le manteau du doute de soi et se recherchent toujours. Vous, qui êtes si doux et plein d'amour, vous rayonnez de lumière et vous avez tant à offrir au monde. Il est important que vous retiriez votre voile, parce qu'il vous empêche de servir à une plus grande échelle. Lorsque vous prêtez attention à vos doutes et à vos peurs, à cette petite voix qui dit : «Tu n'es pas assez bien», vous prêtez alors cette attention à votre soi inférieur. Vous pouvez changer votre centre d'attention.

Donnez votre attention à votre nature la plus élevée, et votre nature inférieure disparaîtra simplement par manque d'égard

Vous ne devez pas prêter attention à toutes ces voix intérieures qui créent de la peine, qui vous rendent moins compétent, moins agréable ou moins capable. Vous devez agir tout simplement comme si cette partie de vous-même était un petit enfant; soutenez-la, rassurez-la et continuez votre chemin. Ne permettez pas à ces voix d'accaparer votre attention; de même, ne vous identifiez pas à elles. Apprenez à ne prêter aucune attention à ces petites voix intérieures qui vous font penser que vous n'êtes pas grand.

La noblesse fondamentale de votre âme trouve son expression dans vos actions. Quelles qualités ou quels traits de caractère désirez-vous avoir? Quels traits de caractère possédez-vous déjà, et que vous aimez bien? Prenez conscience que vous possédez déjà ces qualités. Vous cherchez seulement à les exprimer avec plus d'intensité dans votre vie.

La frontière est très ténue entre l'égotisme et l'humilité. L'expression de la puissance est harmonieuse lorsque cette ligne est observée. N'en faites-vous pas trop? Avez-vous tendance à afficher vos exploits? Prêtez-vous aisément une oreille attentive aux autres, alors que vous négligez ce que vous faites? La tendance à l'exagération peut être source de problème. N'êtes-vous pas, quelquefois, occupé à préparer ce que vous allez dire aux autres de vos merveilleux agissements? Il existe une réelle différence entre le fait de partager librement et la culture de l'égotisme.

Si vous pressentez que vous accomplissiez quelque chose de grand ou d'inhabituel, vous envoyez le message à votre subconscient qu'il ne s'agit pas d'un fait normal. Si vous désirez accomplir davantage de grandes choses dans votre vie, accueillez ces événements sans grande effusion, chaque fois qu'ils se produisent. Félicitez-vous en, mais considérez cela comme très ordinaire. Supposons que vous suiviez un régime particulier et, qu'au bout de deux jours, vous pensez déjà que c'est merveilleux d'avoir tenu bon. En agissant de la sorte, vous donnez à votre subconscient le message que c'est extraordinaire et non pas ordinaire. Vous décidez de changer vos habitudes alimentaires et vous mangez très sainement pendant deux jours; au lieu d'estimer que vous avez accompli un exploit, considérez cela comme un événement quotidien. Accomplissez cela dans la facilité. Ainsi, cette alimentation saine fera partie intégrante de votre vie quotidienne. Il ne faut pas oublier par la suite, lorsque cette façon de vivre sera bien installée, de vous réjouir des changements que vous avez constatés.

Il y a des moments où il serait bon que vous vous félicitiez plus que vous ne le faites. C'est l'effet inverse, non pas un excès d'égotisme, mais plutôt un manque de considération. Certains d'entre vous atteignent les buts fixés et continuent leur chemin sans prendre le temps de se féliciter de leurs réussites; ils se concentrent déjà sur leur nouveau but. Vous n'avez pas assez conscience de vos réussites et vous ne vous félicitez pas de ce que vous avez accompli.

Il est important d'être conscient de l'attention que vous donnez à ce que vous n'êtes pas. Vous pouvez penser : «Je dois faire ceci ou cela. Pourquoi suis-je si mal organisé et incapable de me concentrer?» Lorsque vous vous concentrez sur les qualités qui vous font défaut, vous amplifiez ces «défauts» en vous-même.

Vous créez ce vers quoi vous portez votre attention

Si vous passez votre temps à être mal à cause de quelque chose que vous avez fait, parce que vous n'étiez pas assez fort ou parce que vous n'avez pas dit ce qu'il fallait au bon moment, et si vous vous concentrez sur tout ce que vous n'êtes pas, vous intensifiez l'impact que tous ces actes manqués ont sur vous. Voyez plutôt l'éventail des qualités que vous possédez. Regardez ce que vous voulez devenir et souvenez-vous en lorsque vous exprimez ces qualités. Plus vous regardez en vous ce que vous voulez devenir, plus vous le devenez. Si vous pensez : «Je n'ai aucune volonté, je n'arrive pas à faire ce que je veux», alors vous envoyez cette énergie spécifique vers votre futur. Si, à l'opposé, vous pensez : «J'aime ma façon d'être avec les autres, j'ai de la volonté et de la concentration», vous ferez l'expérience de cette nouvelle énergie qui grandira en vous. Vous prendrez conscience que cette qualité devient vôtre. Chaque fois que vous avez des images négatives de vous-même, chaque fois que vous répétez des phrases telles que : «Je n'arrive pas à faire ce que je veux, je n'ai pas assez de temps», vous envoyez cette image vers l'extérieur, vous émettez cette qualité et créez ce genre de circonstances dans votre vie. Si vous pensez des choses positives à votre propos, vous deviendrez alors ce que vous pensez.

Les âmes très éveillées et très évoluées connaissent la manière d'exprimer leur grandeur et leur puissance sans créer de réactions défensives, mais seulement de la dévotion. Si vous désirez que les autres vous respectent et vous considèrent, sachez que cela ne se produira pas simplement parce que vous répétez sans cesse que vous êtes génial. Vous connaissez certaines personnes qui agissent ainsi; elles ne génèrent que des attaques. Vous connaissez aussi d'autres personnes véritablement évoluées, qui sourient et reconnaissent la grandeur des autres. Ces personnes se centrent sur l'aide et le bienfait qu'elles apportent. Ceci est la véritable puissance. Elle provient de cette image intérieure que vous avez de vous-même. Vous n'avez pas besoin de dire aux autres que vous êtes serein et centré; ils le savent. La communication est télépathique.

Les images de vous que vous envoyez vers l'extérieur déterminent la manière dont les autres vous voient

Si vous rabâchez à votre sujet des choses qui ne sonnent pas juste au fond de vous, les autres le sentiront. A l'inverse, si vous vous connaissez une qualité particulière, les autres la reconnaîtront toujours en vous et vous apprécieront pour cette qualité, même si vous ne leur en parlez pas.

Un ego purifié a la capacité de communiquer avec les autres, de les aider à retrouver leur noblesse et leur puissance. La compétition vient souvent des personnes qui ne savent pas qui elles sont et qui sont dépourvues de confiance élémentaire en leur grandeur intérieure. La compétition provient d'un manque de confiance. Lorsque vous vous sentez véritablement en sécurité, lorsque vous connaissez et faites l'expérience de l'abondance, il n'est point besoin de compétition. Au contraire, vous aidez les autres à créer l'abondance dans leur vie: abondance d'argent, d'amour et de succès. Vous apprécierez d'aider les autres à voir qui ils sont, parce que vous savez qui vous êtes et que vous avez tout ce dont vous avez besoin.

Lorsque vous êtes en compagnie, cherchez-vous à savoir ce que vos amis pensent de vous? Si vous voulez qu'ils vous respectent et vous considèrent, écoutez-les. Ainsi, vous les aidez à se centrer sur leur être supérieur; vous les aidez à voir leur beauté et leur lumière intérieures. Les gens disposant d'un véritable pouvoir ne s'intéressent pas à l'impression qu'ils font. Ils sont plus intéressés par les autres que par eux-mêmes. Ils sentent ainsi leur paix intérieure s'accroître.

La peur d'affirmer votre puissance provient des images négatives ou erronées que vous avez de la puissance

Il faudrait qu'il y ait plus de modèles et de chefs, exemples vivants de l'autorité positive. Beaucoup de vos grands chefs spirituels sont ici sur Terre pour montrer de nouvelles images de la puissance, de cette puissance épurée. Une personne d'influence peut diriger sa volonté vers le meilleur; c'est cela la vraie puissance. Ceux qui aident et guérissent les autres gagent de ce pouvoir. Si des gens utilisant un langage profond et émettant de sages paroles ne vous permettent pas de ressentir une élévation et une ouverture en leur compagnie, comme lorsque vous touchez des niveaux plus profonds de votre être, alors vous ne faites pas l'expérience de la véritable puissance.

Si vous désirez que les gens de votre entourage fassent l'expérience de votre vraie puissance et reconnaissent qui vous êtes, écoutez-les avec votre cœur sans vous soucier de l'impression que vous allez faire. Portez votre attention sur eux et écoutez-les. Mettez-y tout votre cœur et cherchez à savoir comment élever leur niveau de conscience et leur énergie. La vraie puissance peut être lue dans les yeux. Les yeux des personnes manifestant cette véritable puissance sont baignés d'amour et leur regard est direct. Ils n'évitent pas votre regard mais, au contraire, vous regardent avec droiture et franchise. Vous sentez qu'ils s'intéressent vraiment à vous. Ils prêtent attention à ce que vous dites. Offrez-vous aux autres cette qualité de conscience éveillée? Prêtez-vous attention? Les regardez-vous en parlant? Ecoutez-vous ce qu'ils disent ou êtes-vous déjà affairé à construire votre réponse ou élaborer une défense? Votre mental vagabonde-t-il vers différentes pensées lorsqu'ils vous parlent? Prêtez-vous attention de tout votre cœur, écoutant les mots non-exprimés... toutes ces petites choses sont mille manières de développer votre puissance.

Regardez ces personnes si gentilles et aimables, toujours prêtes à rendre service ou à donner de l'amour. Entourez-vous de plus en plus de ce genre de personnes; attirez-les vers vous. Vous connaissez cette expression : «Les humbles hériteront de la Terre». Cela signifie que la puissance s'exprime par l'humilité. Les personnes véritablement puissantes sont très humbles. Elles n'essaient pas d'impressionner, d'exercer une quelconque influence. Elles sont, tout simplement. Les autres sont attirés vers elles. Elles sont, le plus souvent, très silencieuses et centrées, conscientes de leur soi le plus profond. Elles savent que tout dans l'univers extérieur est le reflet de leur univers intérieur. Elles sont responsables de leur destinée et, bien souvent, elles sont entourées de personnes qui leur demandent conseil. A leur contact, les êtres se sentent rechargés et régénérés. Elles n'essaient pas de convaincre quiconque de quoique ce soit; simplement, elles invitent et offrent. Elles ne cherchent jamais à persuader, pas plus qu'elles n'utilisent la manipulation ou l'agressivité pour obtenir ce qu'elles désirent. Elles écoutent. Si elles peuvent vous venir en aide, d'une manière ou d'une autre, elles le proposent; sinon, elles gardent le silence.

Durant la semaine qui vient, regardez autour de vous et choisissez des modèles pour redéfinir ainsi la notion de puissance. Visualisez cela comme le courant calme d'une rivière d'énergie dirigée par l'âme. Soyez conscient de ce que vous êtes. Emettez vers l'univers des images positives et pleines d'amour de vous-même, et observez les personnes y répondre. Soyez prêt à utiliser vos plus hautes qualités et à reconnaître vos capacités.

Purifier l'ego
Affirmer son identité

1 - Pensez à deux personnes que vous connaissez et qui ont réellement transformé votre vie, vous ont encouragé, vous ont aimé et motivé, vous ont laissé un sentiment d'inspiration et d'ouverture.

2 - Pensez à deux personnes auxquelles vous avez donné la même chose. VIsualisez-vous possédant ces qualités d'inspiration, de motivation, d'encouragement et d'ouverture des autres.

3 - Quelles qualités, ou quels traits de caractère, aimeriez-vous pouvoir exprimer davantage; des qualités telles que la compassion, la paix, la joie, l'équilibre, la sécurité. Ecrivez-en autant que vous le désirez et formulez-les de manière ouverte; écrivez par exemple : «Ma compassion grandit de jour en jour».

4 - Choisissez une personne vers laquelle vous exprimerez de façon pratique la qualité choisie pour la semaine.

8

LES PERSONNALITES PARALLELES
UNIFIER LES DIFFERENTS SOIS

Les identités et rôles variés que vous possédez peuvent être appelés : «les personnalités parallèles». Ces rôles existent en chacun de vous. Par exemple, une partie de vous-même peut être impulsive, vous poussant à agir sans trop réfléchir, alors qu'une autre partie reste très prudente et attentive. Une partie peut révéler la peur de voir les autres en colère, ou bien le désir de se sentir indispensable aux autres. Alors qu'une certaine partie de vous est peureuse et crée des peurs pour l'avenir, une autre partie de vous est obsédée par les souvenirs douloureux de situations, les attirant sans cesse à votre attention. Chacune de ces parties, durant votre voyage sur Terre, est appelée à évoluer vers un plus haut niveau de connaissance et de compréhension.

Apprendre à ne pas identifier vos personnalités parallèles à la réalité vous libère et vous permet de les exposer en pleine lumière. Le voyage vers votre être supérieur consiste à intégrer vos différents sois, ou personnalités parallèles, avec l'âme. La voix qui vous dicte que vous ne pouvez pas faire ceci ou cela n'est pas la voix de votre être supérieur. Il s'agit simplement d'une partie de vous-même qui a besoin d'être reconnue et aimée, d'être appréciée dans une vision plus large.

Ces différents sois qui vous habitent peuvent être guéris et intégrés en adoptant une vision plus large. Ils ont généralement été créés lors de crise; ou bien, ils construisent les images de leur réalité et leur programme d'instruction sur des visions qui vous ont été transmises par vos parents ou amis. Par exemple, supposons que vous soyez attiré par ce que vous ressentez comme étant faux dans vos relations. Il se peut qu'un de vos sois attire ces relations à partir d'une image du passé. Vos parents vous rejetaient à un certain niveau et une de vos personnalités parallèles a fait de cette image du rejet un élément essentiel de l'amour. Ce soi particulier peut vous amener beaucoup d'amis ; ainsi, vous reconnaissez son aspect positif, même si ces amis ont tendance à vous rejeter. Vous ne devez pas vous culpabiliser si vous créez un tel schéma répétitif, parce que la clarification de ce schéma est une des étapes de votre évolution. Vous devez prendre conscience de ce schéma, lui parler et lui donner une image nouvelle de la façon dont vous voulez recevoir de l'amour. Un de vos sois peut croire dans le manque − il n'y a pas assez d'hommes, de femmes, il n'y a pas assez d'amour, d'argent, etc... Il serait bon de vous adresser à cette partie de vous-même en lui montrant des images d'abondance.

Imaginez pendant quelques instants qu'il ne vous reste plus que six mois à vivre; quelle serait la chose la plus importante que vous choisiriez de terminer avant de partir? Que change-riez-vous dans votre vie actuelle? Quelles sont les limites que vous dépasseriez? Si vous deviez laisser un cadeau à cette planète, quel cadeau lui feriez-vous?

Une partie de vous-même surveille et observe les autres parties: c'est votre être supérieur

La plus grande activité, spécifique à votre être supérieur, consiste à se reconnaître lui-même et à faire évoluer les autres parties. Vos personnalités parallèles ne sont que des parties de vous-même n'ayant pas encore été harmonisées avec votre être supérieur. Vous pouvez très facilement changer ces images contenues dans ces parties de vous-même en prêtant attention à ces voix intérieures. Lorsque vous sentez venir un schéma de pensées, comme cette petite voix qui doute, considérez-le comme une partie de vous-même appelant votre âme à son secours; cette partie a simplement besoin de nouvelles images et de nouveaux systèmes de croyance. Vous pouvez répondre à chacune des voix, sachant qu'elles ne sont pas votre être supérieur, en les écoutant et en leur parlant, en leur exposant votre vision plus globale. Elles ne savent pas que vous avez changé le modèle par lequel vous créez votre réalité.

Quel est votre but le plus élevé? Quelle est votre vision la plus globale? Vous vous êtes tous incarnés, non seulement pour atteindre un certain degré d'évolution, mais aussi pour aider la planète, afin d'être présents en tant qu'individu contribuant au bien-être de l'humanité toute entière. Lorsque les choses arrivent sans effort et que toutes les portes s'ouvrent, ce n'est pas seulement parce que vous évoluez sur votre chemin le plus élevé, mais aussi parce que vous participez à la réalisation d'une vision plus élevée de l'humanité. Vous êtes là pour épanouir certaines qualités en vous et manifester votre but ultime. Vous pouvez deviner ces qualités en regardant les défis qui se présentent continuellement à vous. Elles peuvent se présenter lors de situations bien distinctes, et pourtant, elles forment un ensemble cohérent de votre apprentissage ici-bas. Chacun vient sur Terre avec un but et une vision élevés. Vous progressez tout au long de votre vie afin de trouver et de répondre à cette vision. Le défi de votre être supérieur consiste à élargir sans cesse votre champ de vision et à vous amener vers des espaces de plus en plus ouverts. Certains d'entre vous sont très spécialisés dans des domaines spécifiques, se concentrant toujours plus sur leur sujet, alors que d'autres tendent vers de nouveaux espaces de la connaissance. C'est la communion intime de ces différentes parties dans l'être supérieur qui constitue un des buts de l'âme dans son cycle d'évolution.

Votre être supérieur est la partie de vous-même qui se trouve au-delà des polarités. Chaque voix intérieure, vous orientant dans une direction particulière, crée simultanément son opposé. Autrement dit, s'il existe une partie de vous-même très conservatrice, allergique aux changements, alors, à l'opposé il existe aussi une partie qui aime agir spontanément, être libre et provoquer les changements. Ces deux parties demeurent toujours présentes, jouant constamment l'une contre l'autre. Vous possédez de nombreuses parties en vous; l'une dit une chose, et l'autre le contraire. La résolution de ces opposés permet à l'être supérieur de s'épanouir. Pour positiver cela au mieux, il suffit de laisser les deux parties dialoguer. Si vous vivez une situation où vous ne faites qu'avancer et reculer, disant, en accord avec une partie de vous-même : «Tu as la solution, continue ton chemin», et en accord avec une autre partie : «Non, cela doit être fait de *cette* manière», vous penserez inévitablement que ces deux parties sont en conflit. Imaginez que vous tenez chaque partie dans une main et que vous créez un dialogue entre elles. Laissez chacune exprimer le bien qu'elle vous veut. Laissez ces deux parties dialoguer entre elles et essayez de trouver le meilleur compromis possible. Montrez-leur, mentalement, ce que vous essayez de faire de votre vie et demandez-leur de l'aide pour atteindre les buts essentiels.

Chaque partie de vous-même a un cadeau à vous offrir. Elle est votre amie

Toutes vos voix intérieures n'ont de raison d'être que l'aide qu'elles peuvent vous apporter. Il est possible qu'elles n'aient pas une vision correcte de ce que vous voulez, ou bien, elles sont ancrées depuis longtemps et n'agissent que sur des bases anciennes. Par exemple, la partie de vous-même qui est dominée par la peur essaie par tous les moyens de vous protéger. Votre voyage sur Terre consiste à amener ces différentes parties de vous-même au niveau de votre vision et de votre but ultime. Apprenez à aimer chacune de ces parties, parce qu'en les aimant, vous les unifiez à votre être supérieur.

Les personnalités parallèles
Unifier les différents sois

1 - Décrivez ci-après un aspect de votre vie qui vous fait actuellement problème.

2 - Maintenant, cherchez quelle partie de vous crée ce problème. Fermez les yeux et essayez de personnaliser cette partie. Est-elle jeune ou vieille ? Comment est-elle vêtue ? Quelles sont les expressions de son visage?

3 - Remerciez cette partie de vous-même qui essaie de son mieux de vous faire du bien. Demandez-lui de vous révéler la bonne action qu'elle est en train d'accomplir. Il existe toujours un aspect positif que toute partie de vous-même essaie d'accomplir. Par exemple, cette partie de vous qui vous retient peut être ici pour vous protéger, qu'accomplit-elle de bien pour vous?

4 - Demandez à cette partie de continuer dans le même sens, mais de manière différente, de façon à aider ce qu'il y a de meilleur en vous et qui correspond à ce que vous êtes maintenant. Vous pouvez demander à cette partie qui vous protège de poursuivre sa vigilance envers les nouveaux moyens d'aide dans cette aventure que vous venez de commencer.

5 - Regardez une nouvelle fois cette partie de vous-même. Vous semble-t-elle plus âgée, plus sage, plus heureuse? Remerciez cette partie de vous-même de sa vigilance pour vous aider à atteindre vos buts les plus élevés.

9

L'AMOUR
C'EST LA CONNAISSANCE
DE LA SAGESSE DU COEUR

L'amour est la nourriture de l'univers. C'est l'élément le plus vital. Les enfants recherchent l'amour; ils se nourissent d'amour, ils se développent grâce à l'amour; privés de cet amour, ils peuvent mourir. L'amour est l'énergie qui circule autour du monde; il existe partout et en toute chose. Il n'existe pas un seul aspect de votre vie qui ne soit baigné d'amour. Même vos instants les plus sombres portent en eux une étincelle d'amour, soit par son besoin, son manque ou par le désir d'en créer plus. Une grande partie de l'énergie de cette planète est orientée vers l'amour et pourtant, dans cette culture et dans d'autres, il subsiste tant de formes-pensées affirmant que l'amour est difficile à obtenir.

En parlant d'amour, je me réfère aux pensées les plus courantes. Les pensées de tout un chacun, et sur quelque sujet que ce soit, sont toujours disponibles télépathiquement; ainsi, lorsque vous êtes en quête d'amour, vous alimentez le réseau universel de l'émission de l'amour, avec l'ensemble des croyances qui lui sont associées.

L'amour est présent dans le corps, dans les émotions et aussi dans les dimensions spirituelles. L'amour pourrait être défini comme une force omniprésente maintenant les particules d'un atome. C'est une force tout comme la gravité ou le magnétisme, mais de nos jours, elle n'est pas encore considérée comme telle. Au niveau le plus subtil, l'amour est comparable à une particule voyageant à une vitesse telle, qu'elle se trouve présente partout au même moment, devenant ainsi l'essence de tout ce qui est. Vous êtes tous en quête des formes les plus élevées de l'amour, mais pour la plupart, vous êtes prisonniers des formes-pensées les plus communes qui existent à son sujet.

Imaginez que la quantité d'amour que vous pouvez recevoir ait une limite de même que la vitesse de la lumière est optimale. On dit qu'il n'existe pas de vitesse supérieure à celle de la lumière, et pourtant il en existe une, bien que votre univers l'ignore encore. Il en est de même avec l'amour: sur le plan terrestre, l'amour est la plus haute expression que l'humanité ait pu atteindre. Pourtant, il y a encore de la place pour plus d'amour. Tous vos grands maîtres ou enseignants travaillent à travers un médium ou une dimension de l'amour, afin de l'amplifier sur ce plan terrestre. De quoi est fait cet amour ? Comment pouvez-vous savoir si vous le possédez ?

Vous avez tous certainement expérimenté cet amour. Vous utilisez certains mots et certains termes pour définir l'amour et pourtant, vous savez que l'amour est au delà des mots et des pensées. C'est une expérience, une connaissance, une communion avec l'autre, avec la Terre, et ultimement avec votre être supérieur. Dans tout ce que vous contactez, réside l'effort d'entretenir une meilleure relation avec votre être supérieur.

Les autres vous offrent de multiples occasions de connaître votre être supérieur par le biais de leur amour

Pourtant, alors que vous oeuvrez au mieux pour atteindre les espaces les plus élevés de l'amour, votre personnalité s'insinue de doutes, de peurs et d'attentes. Pour vivre plus d'amour, vous devez dépasser vos limites. Vous pouvez grandir votre amour en allant de l'avant, en abandonnant les schémas du passé, en ayant foi en votre capacité à aimer plus que vous n'avez jamais pu le faire dans le passé. Une autre manière de faire grandir cet amour consiste à rappeler à votre mémoire des moments où vous étiez fort, débordant d'amour et de lumière. Si vous utilisez le passé pour vous rappeler vos échecs, vous projetterez vos limitations passées dans vos relations présentes.

Quelles qualités sont valorisées par l'amour pour de nombreux êtres? D'une façon générale, l'amour met en relief plusieurs clichés qui lui sont associés. Dans les relations, c'est l'engagement, le mariage, les cérémonies, les rites. Dans la famille, c'est l'attention portée à l'autre et l'attention reçue, la dépendance et l'indépendance. L'amour apporte l'attachement et le détachement. Au niveau personnel, l'amour est souvent accompagné de son opposé: la peur. Nombre d'entre vous sont tombés amoureux, ont vécu de profondes expériences amoureuses, et en sortent plus prisonniers et plus renfermés, rejetés de la personne aimée ou lui retirant l'amour qu'ils portaient. La personnalité fait sont apparition, nantie de ses doutes et ses inquiétudes, et s'adresse à vous. Vous pouvez vous en accommoder, bien sûr, en aimant votre personnalité et en la rassurant. Chaque fois que vous vous ouvrez plus à l'amour ou à une nouvelle dimension de l'amour, vous touchez cette partie de vous-même qui n'a pas reçu d'amour. Vous pouvez la projetez sur l'autre personne, blâmant celle-ci de vous rejeter, ou créant des situations dans lesquelles vous ne pouvez pas exprimer tout votre amour. Mais tout se passe en vous; c'est vous qui vous retirez. Plutôt que de blâmer l'autre, lorsque le doute, la peur ou la déception apparaissent, regardez en vous-même et posez-vous la question: «Quelle partie de moi-même a créé une raison d'avoir peur ?». Si vous portez votre regard vers l'intérieur, si vous vous adressez à cette partie et que vous la rassurez en lui communiquant qu'il n'y a pas de mal à avoir peur, si vous lui montrez ce qui se passe et vers quel futur vous vous dirigez, alors vous pouvez agrandir cet espace d'amour.

Imaginez que de nombreux messages télépathiques circulent sur votre planète, et que, sans considération de vos pensées, vous vous mettez en harmonie avec les autres personnes émettant ce même genre de pensées. Par exemple, si vous pensez en termes d'amour, celui que vous avez et celui qui existe dans l'univers, à la lumière et à la joie que vous ressentez, vous vous connectez à chaque être vibrant à ces mêmes fréquences mentales. Lorsque le doute survient, cela vous place au niveau des pensées et des vibrations des êtres qui vivent dans la peur. N'imaginez pas que ces pensées soient mauvaises, ne vous fixez pas sur elles non plus. Ne perdez pas votre temps à ressasser les raisons pour lesquelles «ça ne va pas», mais au contraire, centrez-vous sur les améliorations possibles et sur la façon d'offrir votre amour aux autres, par exemple vos enfants, vos parents, vos amis et tous ceux que vous aimez profondément ou intimement.

L'Amour Transcende Le Soi

Vous avez certainement fait l'expérience d'un amour profond dans lequel vous avez laissé tomber votre personnalité, vos propres demandes et vos désirs dans le seul but d'aider l'autre. L'amour est une énergie à laquelle vous pouvez vous connecter lorsque vous ressentez une pensée d'amour, quelqu'en soit le destinataire. Vous amplifiez ainsi considérablement vos vibrations. Beaucoup d'êtres évolués, comme moi et ceux qui travaillent à ce niveau, concentrent l'amour sur cette planète afin d'amplifier vos propres sentiments d'amour. Chaque fois que vous exprimez un amour inconditionnel venant du plus profond de votre être, et chaque fois que vous recevez de l'amour, vous aidez beaucoup d'êtres à atteindre ce niveau.

Sur le plan le plus élevé, l'amour est la compassion absolue et le détachement complet. Cela demande une très grande ouverture vers les autres personnes et de se centrer, non pas sur ce que vous désirez d'elles, mais sur l'aide que vous pouvez leur apporter afin qu'elles s'épanouissent et évoluent dans la meilleure direction possible.

Aimer, c'est se centrer sur l'aide que l'on peut apporter. Ainsi, vous participez activement à votre propre évolution. L'amour ouvre la porte de votre épanouissement et de votre vitalité. Vous avez déjà remarqué combien l'amour augmente votre vitalité. Pour moi qui vient ici vous aider, ma grande joie c'est de voir la fleur s'épanouir, de voir ceux à qui je m'adresse s'ouvrir et s'aimer davantage. Cette énergie me revient multipliée; ainsi, je suis activé dans l'amour que je diffuse.

Pendant un court instant, pensez à demain. Comment sera demain pour vous? Que pouvez-vous faire, afin d'envoyer de l'amour à un être, et ressentir ainsi plus d'amour ?

Une autre façon de vivre l'amour, c'est de remercier les autres et de vous remercier vous-même. Prendre le temps d'apprécier tous ceux que vous rencontrez en partageant avec eux votre amour transformera votre vie et augmentera rapidement l'intensité de vos vibrations. Le fait de vous engager dans cette voie d'amour magnétisera cet amour. Il n'est plus nécessaire de vous adresser à la personnalité et de vous questionner: «Est-ce que cela va durer, est-ce que cela va marcher?» Posez de préférence la question: «Comment puis-je approfondir l'amour que je vis dans cette relation?» L'amour agit dans le présent; en concentrant cet amour dans le présent, vous le projetez dans le futur et le libérez du passé.

Si vous vivez dans l'amour et si vous pouvez
le retrouver dans tout ce que vous faites,
en le transmettant par votre toucher,
par vos paroles, par votre regard
et par vos sentiments,
vous pouvez effacer, en un seul acte d'amour,
des milliers d'actes inférieurs

Vous pouvez participer à la transformation de la planète. Il n'est pas nécessaire qu'un grand nombre de personnes se centre sur l'amour pour changer la destinée de l'humanité, parce que l'amour est une des énergies les plus puissantes de l'univers. L'amour est infiniment plus fort que la colère, le ressentiment ou la peur.

Pensez quelques instants à trois personnes qui pourraient bénéficier de votre amour inconditionnel et envoyez leur cet amour. Imaginez aussi trois personnes dont vous désirez recevoir l'amour inconditionnel et ouvrez votre coeur pour le recevoir.

Pouvez-vous imaginer comment serait votre réalité si votre cœur était ouvert, et si, où que vous alliez, vous vous sentiez en confiance, détendu, sachant que l'univers est bienveillant. De quelle manière s'écoulerait votre vie, si vous croyiez que votre guidance intérieure est douce et aimante, que les personnes vous envoient de l'amour partout où vous êtes, et si vous rayonniez l'amour autour de vous? Votre vie serait tellement différente, si chaque fois que l'on s'adresse à vous, vous pouviez reconnaître l'amour ou le besoin d'amour présent derrière cela? Vous regarderiez toujours avec profondeur, afin de ressentir la présence de cet amour en chaque être, comme je le fais. En reconnaissant cet amour, vous le feriez éclore et l'attireriez vers vous.

Lorsqu'aujourd'hui vous rencontrerez d'autres personnes, prêtez attention à la manière dont vous pouvez exprimer l'amour par vos yeux, votre sourire, votre cœur et même par un tendre toucher, si cela est approprié. Vous ne formez qu'une seule communauté sur Terre et chacun de vous peut émettre ce sentiment élevé d'amour, cette forme-pensée d'amour et vous pouvez ainsi vous l'offrir mutuellement. Durant cette journée, centrez-vous sur votre cœur. Vivez cet amour qui est vous-même et ainsi, soyez ouvert pour recevoir au fond de vous la reconnaissance de cette belle lumière et de cet amour émanant des autres.

L'amour c'est la connaissance de la sagesse du cœur

1 - Décrivez trois moments du passé, au cours desquels vous avez senti une manifestation d'amour, alors que vous pensiez, parliez ou donniez de l'amour à quelqu'un :

2 - Pensez à trois personnes que vous pourriez aider par votre amour. Rappelez à vous ces sentiments d'amour évoqués durant l'expérience 1. Envoyez alors cet amour vers ces trois personnes.

3 - Décrivez trois moments durant lesquels vous avez reçu de l'amour de façon inattendue :

4 - Pensez à différentes manières dont vous pourriez, dès demain, surprendre agréablement quelqu'un en lui exprimant votre amour :

10

S'OUVRIR POUR RECEVOIR

Imaginez que vous êtes un roi doté d'un immense trésor. En fait, vous possédez une richesse telle que vous ne savez comment distribuer tous ces biens. Les sujets de votre royaume sont rassemblés autour de vous afin d'exprimer leur pauvreté, mais lorsque vous leur proposez votre argent, ils vous ignorent ou suspectent votre offre.

Je vois partout de grandes réserves — encore vierges, inexploitées et même ignorées. Vous connaissez cette expression : «Faire le paradis sur Terre». Il n'y a rien qui vous empêche de le réaliser, sinon votre capacité à demander et à recevoir. De quelle nature sont ces réserves? Que contiennent-elles comme trésors que nous aimerions porter à la lumière du jour?

En tout premier lieu, parlons un peu d'amour. Nous ne mesurons pas l'évolution comme vous le faites par la promotion professionnelle, le compte en banque... Nous considérons seulement l'évolution spirituelle à travers la joie, l'amour de soi, la capacité à recevoir, la transformation du négatif en positif, la purification de l'égo, la volonté de s'ouvrir à la nouveauté et la capacité de travailler avec les autres dans un but commun.

Il y a tant d'amour disponible!
il est aussi abondant que l'air que vous respirez

Manifestez-vous votre demande d'amour? Plus vous donnez et recevez d'amour, plus votre évolution spirituelle progresse.

Chaque instant où vous vous centrez sur ce qui ne va pas ou sur les personnes qui ne vous aiment pas, vous rend identique à ces pauvres gens qui refusaient l'argent du roi. Vous avez toujours la possibilité de penser aux moments d'amour, de vous imaginer dans le futur jouissant de l'abondance et partageant votre richesse spirituelle.

A quoi pensez-vous? Chaque inspiration vous élève vers le monde de l'essence où les formes se créent; chaque expiration vous ramène dans le monde de vos souhaits. Chaque fois que vous reconnaissez tout l'amour que vous possédez, vous augmentez cette quantité d'amour. Une des lois de la capacité à recevoir énonce que chaque fois que vous reconnaissez ce que vous avez, vous en augmentez la présence dans votre vie, et chaque fois que vous ne le reconnaissez pas, il vous est plus difficile d'en recevoir davantage.

Plus vous vous centrez sur ce qui ne va pas, plus vous aurez de problèmes dans votre vie et plus ceux-ci s'étendront à des domaines qui marchaient bien auparavant pour vous. Plus vous vous centrez sur ce qui marche bien dans votre vie et plus les autres domaines fonctionneront de mieux en mieux. Il en est de même avec la capacité à recevoir. Plus vous constatez que vous recevez et plus vous recevrez.

Il existe des demandes de deux ordres: celles qui viennent de votre personnalité et celles qui naissent de votre âme.

De quelle nature sont les demandes de l'âme ?

La demande pour l'évolution spirituelle est une demande de l'âme, de même lorsqu'il s'agit des buts élevés : la clarté, l'amour et la concentration. Le désir de trouver votre voie et la clarté dans votre vie est aussi une demande de l'âme.

Les demandes de la personnalité sont souvent des couvertures pour des demandes de l'âme. Elles sont habituellement plus spécifiques, comme par exemple une nouvelle voiture ou un objet. Si vous regardez bien les motivations qui se trouvent derrière vos désirs, au lieu de demander de l'argent, vous demanderez directement ce que l'argent peut vous donner, que ce soit la sécurité, les voyages, les vacances ou bien d'acquitter aisément vos factures; alors, vous obtiendrez tout cela plus facilement que l'argent.

Apprendre à recevoir signifie apprendre à demander pour l'essence de ce que l'on désire et non pour sa forme

Souvent, l'Univers vous apporte ce que vous lui avez demandé et alors, vous prenez conscience que ce n'est pas ce qui vous convient. Vous perdez ainsi beaucoup de temps. Avant de décider de ce que vous voulez, posez-vous la question: «N'existe-t'il pas une manière plus générale et plus appropriée d'exprimer cette demande?».

Lorsque vous dites: «Je veux que cet être m'aime» ou «Je veux que cet être m'apporte de la joie», vous rendez la tâche difficile à l'Univers; Il ne peut pas vous donner ce que vous voulez, si ces personnes ne vous aiment pas ou ne peuvent vous apporter de joie. De préférence, dites ceci: «Je suis prêt à rencontrer un être qui m'aime»; il est alors infiniment plus facile de recevoir cela parce que vous n'êtes pas attaché à la forme — un être en particulier— mais plutôt à l'essence — l'amour et la joie.

Si vous exprimez une demande très spécifique, cela prendra plus de temps que si vous laissez l'Univers créer la magie et le miracle, répondant ainsi au désir de votre âme plutôt qu'à la demande de votre personnalité. Bien souvent, cela nécessite une grande capacité d'ouverture et de détachement.

Vous avez pu déjà expérimenter le fait d'imaginer quelque chose et de l'obtenir ensuite. Pourtant, beaucoup d'entre vous ne savent pas encore comment abandonner le passé et s'ouvrir à la nouveauté.

Si votre vie est encombrée de maintes relations, ou si vous laissez passer le temps en conservant une relation qui ne vous satisfait pas, alors il n'y a pas de place disponible pour une nouvelle relation épanouissante. Si vous demandez plus d'argent et que vous passez votre temps à rendre service ou à faire toutes sortes d'activités qui ne vous apportent pas cet argent, il vous sera difficile d'en recevoir.

Soyez prêt à faire ce que votre âme vous demande de faire si vous voulez créer ce que vous demandez

Souvent, lorsque vous formulez une demande, vous rencontrez des changements inattendus pour la recevoir. Votre attitude doit alors être modifiée, ou bien, il se peut que votre point de vue actuel crée des blocages énergétiques, vous empêchant ainsi de recevoir ce cadeau. L'Univers vous enverra immédiatement de nombreuses expériences qui vous ouvriront et changeront vos attitudes; ainsi, vous pourrez obtenir ce que vous demandez. Quelquefois, vous devrez abandonner certaines choses pour recevoir ce que vous avez demandé. Il se peut que vous ayez besoin de vous défaire d'un certain état d'esprit, d'un ami, d'une activité secondaire ou de soucis importants.

Cela ne signifie pas que l'Univers vous punisse ou vous rende cette demande plus difficile; seulement, votre maître intérieur, doux et plein d'amour, ne veut donner ce que vous avez demandé que lorsque vous êtes prêt à le recevoir et à l'utiliser pour votre plus grand bien.

Des sommes importantes d'argent peuvent vous être refusées si vous n'êtes pas capable d'assumer cette fortune. Votre être supérieur peut vous donner plusieurs leçons pour changer votre attitude avant de recevoir tout cet argent, afin que celui-ci soit bénéfique à votre évolution. Si vous demandez de façon égotique, l'Univers vous préparera afin que vous ne subissiez aucun dommage en recevant ce que vous avez demandé. Beaucoup de demandes de gloire ou de fortune ne sont pas véritablement profitables à l'âme et doivent être réfreinées.

Vous demandez quelquefois pour des choses si futiles, que nous sommes attristés en regardant le mental des hommes.

Nous constatons le champ limité de vos pensées qui ne vont pas plus loin que le bout de votre nez, au lieu de s'élever.

Il existe mille manières d'obtenir plus dans votre vie

Une de ces manières consiste à utiliser votre imagination; c'est un grand cadeau que vous avez reçu là! Chaque fois que vous imaginez recevoir quelque chose, lancez-vous un défi : imaginez recevoir encore plus. Si vous désirez une maison, un ami, un amoureux, une nouvelle relation, une voiture, une vie plus agréable, voyagez dans votre imaginaire et élargissez votre champ de vision.

Les rêveries peuvent vous conduire vers votre but le plus élevé. Les choses auxquelles vous rêvez le plus, et même les plus inaccessibles, sont des images de votre but le plus élevé et de votre vie lorsque vous l'aurez atteint.

Que pouvez-vous demander? Vous pouvez demander tout ce qui favorise votre évolution spirituelle et amène davantage de lumière, parce qu'il s'agit là de demandes générales qui seront utilisées par votre âme pour obtenir une infinité de cadeaux. Vous devrez reconnaître ces cadeaux lorsqu'ils vous seront offerts.

Ayez confiance en vous et ayez foi en votre capacité à créer ce que vous désirez

Pour vous permettre de vous ouvrir à plus d'abondance, ayez foi en vous-même et laissez partir ces souvenirs du passé où tout ne marchait pas. Si vous désirez penser au passé, pensez aux moments où vous étiez créatif, plein de puissance et de force. Allez dans votre cœur et cherchez à savoir si vous sentez que vous méritez toute la joie et tout l'amour qui vous attendent sur votre chemin de destinée suprême.

Imaginez, tout d'abord, la joie, la paix et l'harmonie comme des droits de naissance. La concentration, la clarté et l'amour sont disponibles à ceux qui les demandent. Demandez à voir votre destinée suprême et soyez prêt à reconnaître, chaque jour, les cadeaux que vous recevrez, même les plus petits. Plus vous êtes reconnaissant de ce que vous recevez, plus vous pouvez recevoir.

Demandez! Nous ne pouvons vous donner que si vous demandez. L'Univers attend vos commandes! Lorsque vous les voyez arriver, soyez prêt à prendre et à recevoir. Lorsque les opportunités se présentent, saisissez-les! Remerciez l'Univers et soyez reconnaissant pour cela. Alors, vous pouvez créer le paradis sur Terre.

S'ouvrir pour recevoir

1 - Faites la liste de quatre choses, au moins, que vous savez bien faire, qui vous réussissent bien et que vous aimez beaucoup :

2 - Quelles sont les bonnes choses que vous avez reçues de l'univers au cours de la semaine passée et au cours du mois passé. Faites une liste d'au moins dix choses :

3 - Faites la liste de cinq choses que vous avez déjà demandées et reçues :

4 - Qu'aimeriez-vous recevoir de l'univers maintenant ? Décrivez vos demandes avec précision. Utilisez votre imagination et *demandez* tout ce à quoi vous pensez. Par exemple : Je voudrais gagner 15000 F par mois, *ou plus*, d'ici six mois, ou même avant, et gagner ce revenu d'une manière qui serve ma plus haute destinée.

11

L'APPRECIATION, LA GRATITUDE ET LA LOI DE L'ACCROISSEMENT

Si vous voulez sortir d'une mauvaise passe, si vous vous sentez vide et épuisé, si votre environnement vous ennuie, vous pouvez rapidement modifier la qualité de votre énergie en portant votre attention sur les bonnes choses présentes et en adressant des remerciements à votre Soi et à l'Univers. C'est une manière très efficace de purifier votre aura et de faire monter vos vibrations. Si vous accordez deux minutes chaque matin à adresser ces remerciements, le reste de votre journée en sera bien meilleur.

Quel est le but de la gratitude? Ce n'est pas seulement quelque chose que vous avez appris de vos parents pour remercier et rester poli. Au début de chaque année, vous souhaitez la bonne année en envoyant vos meilleurs voeux; en entrant dans certains ordres, les religieux prononcent aussi leurs vœux. Il existe des raisons très subtiles à exprimer de la gratitude et des remerciements. En fait, cela revient à demander à l'Univers de vous donner encore plus.

Tout ce que vous appréciez et pour lequel vous exprimez vos remerciements ira en s'accroissant dans votre vie

Avez-vous remarqué comme vous aimez être en présence de personnes qui vous remercient, qui vous apprécient et vous reconnaissent? Lorsque vous leur donnez des conseils, elles vous disent : «Merci, cela m'est très utile». Lorsque vous leur offrez un objet, elles le gardent et l'aiment. Avez-vous remarqué combien vous êtes prêt à leur donner davantage? Il se produit un phénomène similaire avec l'Univers, à un niveau énergétique. Tant que vous remerciez l'Univers pour l'abondance dont vous jouissez, celui-ci vous en offre davantage. Dès que vous exprimez votre gratitude, vous augmentez la lumière de votre aura. C'est par votre cœur que ce changement intervient, parce que le cœur est la source d'où naît la gratitude. En rendant grâce, vous ouvrez votre cœur. Votre cœur est la porte de votre âme; c'est un pont entre le monde de la forme et le monde de l'essence. La gratitude et le remerciement sont les voies directes du cœur, de votre essence et de votre âme.

Vous pouvez purifier votre aura et augmenter votre fréquence vibratoire en rendant grâce. La résonance de la gratitude vibre dans le corps au niveau de votre cœur. Vous lui permettez ainsi de s'ouvrir plus pour recevoir davantage. Cette résonance ouvre votre cœur à votre conscience, guérissant le corps physique par le rayonnement d'amour. Elle crée une vibration subtile et élevée, attirant à vous tout ce que vous désirez. Lorsque vous formulez vos remerciements, l'Univers instille une note harmonieuse ou un son, par lequel vous obtenez davantage que ce que vous demandez.

Il existe de nombreuses manières d'exprimer vos remerciements : mentalement, verbalement ou par écrit. L'aspect émotionnel et sincère de la gratitude est essentiel. Peu importe le moyen que vous avez choisi pour exprimer vos remerciements; mais s'ils sont dépourvus de conviction, d'attention ou de ressenti chaleureux, ils ne sont pas aussi effectifsque lorsque vous exprimez votre véritable gratitude en pleine conscience. Lorsque vous *pensez* à un remerciement, il produit un effet certain sur votre corps; il est d'autant plus puissant qu'il est prononcé à voix haute. Avez-vous déjà partagé la présence de personnes qui exprimaient leurs remerciements? Je ne parle pas de celles qui le font par habitude ou parce qu'elles tentent d'obtenir vos faveurs. Je vous parle de ces personnes qui vous apprécient véritablement et vous remercient d'être avec elles. Ces personnes augmentent tout ce qu'elles reçoivent des autres et de l'Univers.

Le processus qui consiste à écrire vos idées et à les exprimer oralement amène ces idées dans le monde de la forme plus rapidement que par la simple pensée. Si vous désirez quelque chose, formulez votre demande par écrit et énoncez-la à voix haute, parce que dans ce cas, les processus du langage parlé et du langage écrit sont plus proches de la réalité que ceux de la pensée.

Les mains et la gorge sont deux centres de la manifestation. Les idées qui siègent dans votre esprit, une fois exprimées face aux autres personnes, s'intègrent au monde de la forme; lorsqu'elles sont écrites, elles sont encore plus proches de leur manifestation. C'est très bien d'exprimer vos remerciements dans votre esprit; cela aide votre évolution. Mais c'est encore plus efficace de les exprimer à haute voix, à l'Univers ou aux autres. Les remerciements écrits sont encore plus puissants que les remerciements oraux.

Pour créer ou pour recevoir davantage, prenez un crayon et couchez sur papier vos remerciements à l'Univers

Le soir, faites une liste de tout ce que vous avez reçu au cours de la journée. Cela peut être des achats, le sourire d'un être inconnu, des sensations agréables ou un surplus d'énergie, une voiture qui vous a conduit au lieu de votre destination ou de l'argent que vous avez reçu. Vous serez étonné de la quantité de cadeaux que vous recevez chaque jour. En reconnaissant tout ce que vous avez reçu, vous créez un lien avec l'Univers qui vous permet de recevoir plus encore.

Vous pouvez écrire ou téléphoner à quelqu'un qui vous a aidé, pour lui dire combien vous avez apprécié son concours. Plus vous exprimez visiblement votre gratitude et vos remerciements pour ce que vous avez, plus vous transformez vos vibrations moléculaires, d'une énergie dense vers un niveau plus affiné. Peut-être avez-vous remarqué que les âmes très évoluées et les maîtres vouent une grande part de leur temps à apprécier et à remercier l'Univers. Durant leur méditation, ils ressentent une véritable humilité et une profonde gratitude pour tout ce qui leur est donné.

Quel est l'effet de la gratitude sur les différents corps? Le corps physique subit de profonds changements lorsque vous exprimez vos appréciations. Lorsque vous exprimez votre reconnaissance pour votre bonne santé, vous envoyez ce message à toutes les cellules de votre corps. Elles répondent à ce message parce que chacune possède un hologramme de l'ensemble de votre corps. Chaque cellule a une conscience propre; non pas qu'elle pense comme vous le faites. Vous êtes composé de nombreuses cellules différentes qui fonctionnent à un niveau de conscience différent de cette conscience globale que vous nommez «Je». Elles aiment, elles aussi, être appréciées. Si vous voulez vous soigner d'un problème physique, au lieu de rappeler sans cesse à votre souvenir les moments de malaise et de vous inquiéter de vos futures douleurs, remerciez votre corps pour toutes ces merveilleuses choses qui fonctionnent si bien. Si vous lui exprimez régulièrement votre gratitude, vous constaterez qu'il est prêt à faire bien plus pour vous. Vous pouvez être sûr que les cellules comprennent vraiment les sentiments de gratitude et qu'elles sont prêtes à travailler avec plus d'efficacité encore pour vous faire plaisir. Trouvez différentes manières d'aimer votre corps, lorsqu'il bouge, agit et évolue. Montrez-lui combien vous appréciez sa façon de transformer les aliments en énergie et de vous servir. D'autre part, si vous observez votre corps et dites : «Je n'aime pas mes genoux, mon ventre...», si vous passez votre temps à vous plaindre de lui et à le rendre responsable de vos problèmes, vous vous apercevez qu'il ne réagit pas aussi bien. Pensez que votre corps contient des millions de petites entitées, les cellules, qui éprouvent des sentiments. Au moment même où, dans votre esprit, vous commencez à les remercier, votre corps physique change sa qualité vibratoire. Les cellules se mettent immédiatement en action afin d'augmenter votre énergie. Lorsqu'une pensée négative vous effleure, votre énergie s'effondre.

La gratitude guérit les émotions

Elle unit le corps émotionnel au cœur et ainsi à l'âme. Le corps émotionnel est un flot constant d'énergie en vibration autour de vous. Lorsque vous remerciez et rendez grâce à la vie, aux êtres, aux événements ou aux forces supérieures, la structure énergétique que forme votre corps émotionnel se réorganise d'elle-même, faisant appel à des vibrations plus élevées et plus affinées. Vos émotions représentent la partie de vous-même la plus «magnétique» lorsqu'il s'agit d'attirer des événements, des êtres ou des objets. Plus vous êtes calme et détaché, plus il vous est facile d'obtenir ce que vous désirez. Votre volonté et votre désir doivent être dirigés vers l'objet de votre choix. Plus vous incarnez le calme et la sérénité, plus il vous est facile de vous centrer sur votre être supérieur et plus vous recevez.

Lorsque vous faites l'expérience, sur le plan émotionnel, de la gratitude profonde, cela vous apporte le calme et augmente le niveau vibratoire de votre corps émotionnel. Votre cœur est ainsi plus facilement touché. Si vous désirez communier par le cœur avec un être, rendez-lui grâce. En lui envoyant ces messages télépathiques d'appréciation, vous arrêterez immédiatement toute lutte de pouvoir. Cette semaine, lorsque vous rencontrerez des amis, adressez leur quelques compliments. Il faut que cela viennent du cœur, sans forcer. Si vous leur dites quelque chose qui vient du cœur, exprimant votre gratitude à leur égard, vous établirez immédiatement un contact au niveau du cœur.

Remercier et rendre grâce ouvre les innombrables portes des plus hauts sommets de l'Univers

L'appréciation est la porte ouverte vers le cœur; elle ouvre votre cœur et vous permet de recevoir davantage d'amour. La semaine prochaine, si vous y pensez, marquez votre appréciation à chaque être que vous rencontrerez. Que ce soit un ami ou un amant, un étranger ou un collègue de travail, voyez si vous pouvez exprimer gratitude et remerciements. Ces compliments doivent venir du cœur. La gratitude vous permet de dépasser votre mental et vos jugements. Pour la plupart, vous êtes prisonniers de vos pensées et, lorsque vous exprimez vos remerciements, cela vous extirpe de votre mental qui pense en termes de juste ou faux, bon ou mauvais, pour vous centrer dans votre cœur. Lorsque vous sortez de cet espace mental, même pour de brefs instants, l'Univers peut alors travailler plus directement sur vous. Souvent, le niveau d'activité mentale dans lequel vous êtes crée de multiples confusions qui vous empêchent d'obtenir facilement ce que vous voulez.

Lorsque l'appréciation vient du corps mental — cette partie de vous-même qui pense tout le temps— elle amène au silence cette partie de vous qui est soucieuse et sceptique. Elle unit sous une bannière nouvelle tous les différents Sois, ouvrant ainsi la porte d'un état nouveau d'énergie. Lorsque vous êtes soucieux, perturbé, affairé à des activités malsaines, arrêtez tout et adressez vos remerciements pour tout ce qui est bon en vous.

La gratitude vous permet d'accéder au mental abstrait, celui qui unit le cerveau droit et le cerveau gauche, le féminin et le masculin. Le mental abstrait ne se cantonne pas au cerveau gauche, celui qui s'occupe des nombres, des figures et de la logique, pas plus qu'il ne travaille spécifiquement avec le cerveau droit, générateur de la créativité, de l'intuition et des sentiments. Il fait la synthèse des deux. Cette union s'opère lorsque vous pouvez conceptualiser à partir d'éléments de croyance et de réalité qui sont hors de vos pensées habituelles. C'est un peu comme une illumination, une solution nouvelle à un vieux problème, une inspiration, une révélation.

Le mental abstrait peut avoir une vision plus large de votre vie, mais vous n'y pensez pas. Cette partie de vous-même possède de nombreuses manières nouvelles de penser; elle existe au-delà des structures habituelles de votre vie. Le mental abstrait n'utilise pas vos schémas quotidiens de pensées. C'est la part de génie qui existe en vous tous. Il utilise la forme la plus élevée de pensée dont vous disposez et il peut vous aider considérablement à évoluer, pour peu que vous l'utilisiez plus assidûment.

Vous pouvez choisir de penser plus souvent de façon plus élevée

La gratitude vous conduira directement à votre cœur et à votre mental abstrait. En adressant des remerciements vous amenez la lumière au centre d'énergie situé au sommet de votre tête, par l'intermédiaire du centre du cœur. Grâce à cette lumière croissante et à l'ouverture de votre cœur, d'innombrables idées et cadeaux vous sont présentés. Ils peuvent s'épanouir en quelques jours ou quelques semaines, mais alors, vous êtes prêt à les recueillir. Imaginez les vibrations que cette gratitude vous permet d'atteindre et de transformer afin de vous porter aux plus hauts sommets de la sagesse disponible dans l'Univers. L'Univers entend votre appel; vos remerciements sont perçus, appréciés, et cette énergie vous est renvoyée.

Vous avez tous des désirs; ils forment ce que j'appelle «le corps de désir». Vous désirez posséder certaines choses. Si je vous demande ce que vous aimeriez avoir, ce qui est le plus important et que vous voudriez avoir maintenant, pour me répondre, il faudrait que vous preniez une pause pour y penser. En adressant vos remerciements, vous affectez votre corps de désir. Ce corps est toujours en mouvement, un peu comme le corps émotionnel. Il est toujours centré sur ce qu'il n'a pas et sur ce qu'il veut créer. Son but est de vous donner de nouvelles motivations et de nouvelles énergies créatrices. Pourtant, vous pouvez éprouver le sentiment que c'est de l'énergie qui s'évapore. Alors, pensez à tout ce que vous possédez déjà ou à ce que vous avez créé.

Vos désirs peuvent vous sembler comme un puits sans fond, surtout si beaucoup d'entre eux sont insatisfaits. Les remerciements transforment directement ces désirs en les calmant et vous montrant tout ce qu'ils ont déjà créé. Visualisez qu'une partie de vous-même est composée de tout ce que vous désirez. Lorsque vous adressez vos remerciements, vous donnez de la puissance à cette partie. Ceci pour la bonne raison qu'elle ne va pas vous montrer tout ce que vous avez fait mais plutôt tout ce que vous auriez pu faire, comment vous auriez dû le faire, et ainsi de suite... Elle a toujours, en réserve pour vous, une liste de choses à faire et elle a besoin d'être rassurée et calmée. Ces sentiments de satisfaction vont favoriser cette atmosphère et lui donner davantage de force pour continuer à créer encore davantage.

Un autre corps est appelé «la volonté». Chacun de vous a des images différentes de cette volonté. Certains l'appellent «le pouvoir de volonté».

La volonté est la capacité de diriger votre énergie dans la direction où vous voulez aller

Beaucoup d'entre vous désirent s'élever vers ces niveaux plus subtils d'énergie où règnent la paix, la joie, la plénitude et le détachement. La volonté est l'énergie qui coule inlassablement à travers vous. Elle est semblable à une rivière d'énergie qui vous traverserait en permanence. Ne parlons pas de la volonté de pouvoir, mais de cette volonté qui vient du cœur, et dont le but est d'accomplir ce que vous aimez. Plus vous vous appréciez, plus vous êtes reconnaissant de ce qui se passe dans votre vie et plus votre volonté sera unie à votre cœur. Cela vous permet de créer l'objet du désir de votre cœur.

L'appréciation, la gratitude et la loi de l'accroissement

1 - Quelles sont les choses que vous aimeriez posséder dès maintenant ?

2 - Quelles sont les personnes envers lesquelles vous éprouvez de l'estime?

3 - Qu'appréciez-vous en vous-même, dans votre corps, dans votre esprit, ... ?

Suggestion : Téléphonez à quelqu'un ou écrivez-lui afin de lui exprimer l'estime que vous avez pour lui.

12

LA PAIX INTERIEURE

Qu'est-ce que la paix intérieure ? Vous avez bien une idée de ce que cela représente pour vous. Vous avez tous connu cet état de paix intérieure, pour quelques secondes ou quelques heures, et vous savez donc ce que l'on peut ressentir durant ces moments. L'évolution implique, en partie, d'apprendre à créer cet état, indépendamment des facteurs extérieurs. Vous désirez pouvoir transmettre et partager avec les autres cet état d'être.*Vous* devenez alors un centre irradiant la lumière de votre âme vers le monde, plutôt que d'attendre que les événements, les personnes ou les choses s'organisent pour vous procurer cette paix.

Créer la paix intérieure à un niveau élevé correspond à ouvrir son cœur. Cela signifie que vous n'êtes pas centré ou attaché sur le plan émotionnel par les événements qui se produisent dans le monde qui vous entoure. Vous savez qui vous êtes et vous laissez les choses suivre leur cours sans que cela ne touche ni n'affecte votre paix. Vous pouvez apprendre à atteindre et modifier l'énergie du monde extérieur depuis votre centre énergétique intérieur. C'est cela la paix. Ouvrir votre cœur cela signifie rester ouvert et plein d'amour quoiqu'il arrive en vous ou autour de vous. Vous choisissez alors de ressentir cette paix envers et contre les apparences extérieures. Il est facile d'être ouvert et plein d'amour lorsque vous êtes comblé d'amour; le défi est de garder cet amour parmi des êtres fermés, pleins de peur ou négatifs.

La paix intérieure vient de l'intérieur de soi
et non pas de l'extérieur

Tout ce à quoi vous êtes attaché, tout ce que vous désirez obtenir, toutes les croyances et les concepts trop rigides affectent votre paix intérieure. Le but est de cultiver ce sentiment de paix intérieure et de modifier ainsi le monde extérieur grâce à son énergie spécifique. Le premier pas doit être la découverte de ce sentiment de paix intérieure.

Une des manières les plus simples consiste à se détendre physiquement, soit par un massage, soit par une relaxation mentale. Le corps est le réceptacle de nombreuses pensées tumultueuses, et si ce corps est amené à un état de paix et de repos, le mental peut alors goûter à cette sensation et apprendre à la créer. La paix est bien plus qu'une simple sensation de détente dans le corps. Elle serait comparable à des ondes radio très spécifiques ou à une vibration que vous émettez et qui influence votre environnement immédiat.

Vous pouvez commencer à expérimenter différents niveaux de paix intérieure et aller au plus profond de cette sensation. Commencez par ressentir ce sentiment de paix en vous. Donnez-vous l'opportunité durant la semaine prochaine de ressentir cette paix intérieure. Vous pouvez créer un endroit respirant la beauté, l'éternité et choisir de belles musiques afin d'expérimenter dans les meilleures conditions ce qu'est la paix pour vous. Et de cet endroit, investi de cette connaissance, vous pouvez commencer à transformer le monde qui vous entoure.

Quel est l'intérêt de cette paix intérieure? C'est certainement plus agréable à vivre sur le plan émotionnel. Mais c'est bien plus encore; c'est la possibilité d'agir sur le monde extérieur à partir de votre plan le plus élevé, de créer et de matérialiser, en harmonie avec votre plus haute destinée et l'intime expression de votre individualité. Lorsque vous êtes calme et tranquille, apaisé et détendu, vous êtes capable de créer et de penser à partir de vos plans les plus élevés. Ce que vous amenez sur Terre et ce que vous créez à partir de cet espace est venu par les meilleurs chemins.

Vous pouvez créer lorsque vous êtes tendu, anxieux et plein de peur, mais cela peut ne pas être ce qu'il y a de meilleur pour vous; en fait, il est fort probable que cela ne le soit pas du tout. Si, avant de faire des plans, avant de penser à une nouvelle idée, vous cherchiez un peu cette paix intérieure comme base d'action, vous trouveriez que ces plans reflètent davantage les buts de votre âme que les désirs de votre personnalité. Si, avant de parler ou d'agir, vous vous connectiez à ce sentiment de paix, vous verriez votre monde changer très rapidement, et ceci à de multiples niveaux.

La paix intérieure vous relie à votre Soi le plus profond et vous aide à abandonner votre peur

La peur est une énergie primaire, une vibration dénuée de lumière, mais elle peut être transformée en amour. La paix intérieure a pour but de vous guérir de la peur. Cela peut être la peur d'être rejeté, ou la peur d'être abandonné, la peur de ne pas y arriver, ou d'être mis de côté et d'échouer. La paix intérieure vous unit à votre cœur et à votre désir d'abandonner la peur. Vous y parvenez en abandonnant vos défenses, en vous montrant vulnérable. Il ne s'agit pas d'impressionner les autres par vos actions mais de vous montrer tel que vous êtes, sachant que vous êtes parfait ainsi.

Cultiver cette paix intérieure est l'engagement d'abandonner toute critique et doute de soi. Tout ce que les autres personnes disent à votre propos n'est que le reflet d'une voix intérieure. Les paroles qu'elles vous adressent sont aussi le reflet de ce qu'elles se disent à elles-mêmes. Si vous remarquez que les autres ont l'esprit critique, cherchez tout d'abord à savoir si une partie de vous-même ne serait pas critique à votre égard. En abandonnant vos propres critiques, vous vous apercevrez que les autres diminuent leurs critiques. Souvenez-vous aussi que les paroles des autres sont la réflexion de ce qu'ils sont et de leur façon de voir le monde. Ils vous critiquent peut-être tout simplement parce qu'ils s'autocritiquent. Regardez leurs actions et leurs paroles comme des reflets de leurs croyances et apprenez à rester calme et centré.

La paix intérieure guérit. Vous n'avez pas besoin de vous concentrer sur vos peurs pour voir celles-ci disparaître. En accueillant ce sentiment de paix intérieure, en exposant à la lumière toutes les situations de votre vie, vous verrez votre mental s'ouvrir à de nouvelles idées, à des solutions et des réponses venant en ligne droite de votre âme. La paix intérieure vous unit à votre être spirituel. Vous l'atteignez par la relaxation corporelle, le calme émotionnel et la focalisation de l'esprit sur des qualités et des buts élevés. Si vous désirez vous élever, faire l'expérience et vivre à des niveaux énergétiques élevés, la paix intérieure en est la porte d'entrée.

A partir du moment où vous avez décidé de créer cette paix intérieure, vous devrez confronter de nombreux événements qui seront des défis à votre résolution de rester calme. Vous direz: «Je peux garder mon calme *sauf* lorsque...» L'Univers vous envoie ces exceptions comme des opportunités pour créer de nouvelles réponses en termes de paix plutôt qu'en termes d'agacement.

Comment pouvez-vous manifester constamment cette paix intérieure? Commencez par reconnaître ces moments de paix, unissant votre conscience à ce sentiment, en gardant l'intention et le désir d'en créer d'autres. Vous pouvez utiliser votre imagination pour penser à tout ce que vous ressentez durant ces moments. Vous pouvez y penser et contempler cette paix parce que vous créez ce à quoi vous pensez.

Vous pouvez décider de ne plus être affecté par le monde extérieur, et réciproquement, vous pouvez influencer le monde qui vous entoure par votre paix

Quoiqu'il arrive dans votre vie quotidienne, un événement qui autrefois détruisait votre calme émotionnel, votre paix mentale ou votre bien-être physique, décidez aujourd'hui d'irradier la paix, la santé et l'amour. Le monde qui vous entoure n'est qu'une illusion créée par les énergies que vous émettez. Tout est possible. Les limites que vous mettez, les parties de vous-même qui disent: «Ça n'est pas possible», ne sont que des pensées. Elles peuvent être véritablement et complètement changées. A partir de votre paix intérieure vous pouvez créer le reflet de la lumière de votre âme dans le monde extérieur.

Exprimer cette paix signifie agir plutôt que réagir. C'est un état, une attitude; c'est une énergie que vous émettez vers l'exté-rieur. Cela signifie que vous pouvez vous unir à l'Univers au travers des plus hauts niveaux de votre âme. Imaginez qu'il existe des milliers de courants d'énergie autour de vous et que vous pouvez agir par l'intermédiaire de celui que vous choisis-sez. L'un est appelé lutte, il requiert beaucoup d'efforts pour arriver à vos fins, et un autre est appelé joie. Lorsque vous êtes anxieux, tendu ou inquiet, vous êtes dans ce premier courant. Si, même pour un court instant, vous contactez cette paix intérieure, vous vous placez dans le second courant, de nature plus élevée.

De nombreuses personnes sur Terre vivent dans le monde de la création et connaissent une énergie de paix, de créativité et de lumière. Lorsque vous parvenez à cette paix intérieure, vous établissez un lien avec tous ces êtres qui vivent et créent dans cet espace subtil d'énergie. De nouvelles idées peuvent vous venir. Vous pouvez agir sur tout ce que vous voulez à partir de cet espace de paix.

Pour arriver à cette paix intérieure, vous devez éprouver le désir ardent d'ouvrir votre cœur. Lorsque survient un événement qui habituellement vous mettrait sur la défensive, et qu'il vous faudrait fournir un effort pour ne pas vous sentir blessé, vous disposez d'un choix différent. Si vous voulez garder votre cœur bien ouvert pour une entaille supplémentaire, expérimentez un peu plus de compassion et de compréhension des autres, et vous serez capable de leur envoyer de l'amour et de créer ce sentiment de paix en vous-même.

113

Vous pouvez choisir de voir le monde comme vous le voulez

Vous pouvez dire: «Oui, mais ma vie est ainsi, ce sont des faits. Si seulement cette situation changeait, si j'avais plus d'argent ou si telle personne arrêtait de m'embêter, je pourrais alors trouver cette paix intérieure». Ce que vous expérimentez en tant que réalité n'est que le reflet de votre système de croyance et de votre esprit. Si vous choisissez la paix intérieure quoiqu'il arrive, vous pouvez transformer tout ce que vous vivez comme réel et avoir de nouvelles idées ou des croyances meilleures et plus élevées.

Le pardon est nécessaire à la paix intérieure. Si vous gardez un ressentiment passé envers certaines personnes ou si vous vous sentez négatif à leur égard, vous pouvez, en un instant, leur pardonner et laisser partir ce fardeau. Si quelqu'un n'a pas répondu à votre appel ou à vos lettres, s'il détient quelque chose qui vous appartient ou s'il vous a blessé méchamment, vous pouvez clarifier votre propre énergie en pardonnant, en abandonnant cela et en restant détaché. La paix intérieure consiste à vous libérer de vos attachements à toute chose, comme de vouloir qu'une personne agisse d'une certaine manière ou de vouloir que le monde entier fonctionne selon vos critères. Lorsque vous vous affranchissez de ces attachements, vous observez que votre vie prospère bien au delà de vos plans ou espérances. Cela ne veut pas dire que vous devez abandonner tout contrôle de votre vie; cela signifie que cela doit venir, à chaque instant, de votre centre de paix.

Dès maintenant, prenez la décision d'accueillir cette paix intérieure dans votre vie. Décidez d'ouvrir votre cœur encore davantage, d'être plus compatissant, plus compréhensif, débordant d'amour et de pardon pour toutes les personnes que vous connaissez. Au cours de la semaine prochaine, créez votre propre image dans votre esprit, et visualisez-vous dans des plans de paix entièrement nouveaux. Voyez le sourire de votre visage et la joie de votre cœur. Choisissez un élément de votre vie avec lequel vous voudriez être en paix, quelque chose qui vous fasse habituellement réagir et visualisez-vous relâchant, pardonnant et abandonnant cela; ressentez alors cette paix intérieure. Il n'y a que vous qui puissiez créer votre paix intérieure. Dans cet espace, voyez votre monde s'y refléter. Les autres personnes, les événements et les situations n'ont plus lieu de déclencher des réactions en vous. Si vous cultivez ce centre de paix, vous transformez ces événements, habituellement dérangeants et perturbants. S'ils ne changent pas, ils ne perturberont plus votre bien-être. Vous pouvez trouver ce centre où la lumière de votre âme et de votre être intérieur se reflète, et porter ainsi au monde votre expérience.

La Paix Intérieure

Détendez votre corps; prenez trois profondes respirations et relâchez vos tensions.

1 - Souvenez-vous de trois moments durant lesquels vous avez senti la paix intérieure. Explorez profondément ce sentiment de paix. Ecrivez quelques mots :

2 - Quelles sont les éléments qui détruisent votre sensation de paix ? Complétez cette phrase : « Je peux me sentir en paix sauf si/quand ...» *Exemple : «je peux me sentir en paix sauf si mon patron est de mauvaise humeur».*

3 - Dites ceci : «La partie de moi-même qui ne se sent pas en paix n'est qu'une petite partie de moi et dès maintenant je m'identifie et me relie à mon Moi intérieur le plus fort. Cette partie si puissante apporte de la lumière à cette petite partie pleine de peur».

4 - Maintenant, prenez les différentes réponses de la question 2 et transformez-les en affirmations sur ce modèle : «Mon moi puissant est en paix même lorsque mon patron est de mauvaise humeur». En faisant cela, sentez bien la puissance de votre Moi sage et confiant, et abandonnez, pardonnez et laissez partir ces situations qui perturbent votre paix intérieure.

13

PARVENIR A L'EQUILIBRE, A LA STABILITE ET A LA SECURITE

Vous pouvez créer la stabilité en vous détendant et en prenant quelques instants pour réfléchir avant toute action. Les actions dépourvues de pauses conviennent à certaines activités, mais cela ne doit pas être une habitude.

Tout au long de la journée vous vous agitez, vaquant d'une chose à l'autre, selon ce qui vous passe par l'esprit ou devant les yeux. Si vous voulez être stable et équilibré, arrêtez-vous fréquemment et centrez-vous sur l'activité en cours. Changez d'optique. Asseyez-vous au calme et faites l'expérience de vous-même et de vos pensées à partir d'un niveau de conscience plus serein. Cela implique que vos émotions soient paisibles et tranquilles. Lorsque vous changez de position, ou lorsque vous vous asseyez, les mains au repos, votre respiration se modifie. Lorsqu'il n'y a aucun mouvement autre que celui de vos pensées, vous pouvez envisager les choses différemment.

Vous pouvez alors ressentir une connection plus intime avec votre être supérieur. Alors que vous interrompez pour un moment vos activités quotidiennes, vous reposez votre corps, calmez votre mental et apaisez vos émotions; ainsi vous découvrez une infinité de nouvelles façons de voir ce qui se passe dans votre vie. Vous pensez différemment selon que vous vous agitez ou que vous êtes assis calmement. Pour permettre à votre esprit de venir dans vos pensées vous devez apaiser votre corps physique.

L'équilibre et la stabilité permettent de vous accorder avec votre être supérieur avant toute action, à plus forte raison si celle-ci est de taille. Cela signifie que vous vous donnez la possibilité de voir les choses sous différents angles avant d'agir et que vous vous accordez tout le temps nécessaire pour faire un bon travail. Tous les facteurs déséquilibrants peuvent être évités si vous prenez assez de temps pour réfléchir avant d'agir. On dit bien: «regarde avant de sauter». Vous n'avez pas besoin de vous arrêter avant chaque action, mais votre vie sera plus facile et plus agréable si vous prenez un moment pour réfléchir avant de vous lancer dans toute entreprise importante; ne serait-ce que pour acheter une nouvelle voiture ou signer un contrat. Tout changement peut être source d'équilibre et de paix lorsqu'il est examiné avec attention. Si vous êtes perpétuelle-ment en action cela peut vous amener à prendre des décisions et à agir de manière telle que cela se termine en crise et crée des problèmes.

Si vous devez prendre une décision que vous jugez importante, ne vous précipitez pas. En vous accordant le temps nécessaire pour y penser, vous pouvez visualiser les futurs probables dans votre esprit et vous verrez plus clairement les conséquences de certaines actions. Ce monde vous offre le grand avantage d'être à la fois un lieu d'action et de réaction. Chaque fois que vous agissez, vous envoyez des ondes autour de vous, tout comme lorsque vous jetez un caillou dans l'eau. Chaque action affecte votre probable futur et change votre vie. Plus vous anticipez les résultats de vos actions et plus vous agissez dans une perspec-tive de grande sagesse, et donc, vous vous préparez à trouver la joie et l'équilibre dans votre futur.

Votre attitude détermine votre expérience du monde

C'est votre manière de réagir à certains éléments. Une attitude qui crée la joie est une attitude par laquelle vous interprétez ce qui vous arrive au travers du filtre de la joie. Votre attitude et votre vision agissent comme un filtre. Lorsque vous portez un regard positif et optimiste, vous éliminez les expériences néga-tives et déplaisantes.

Votre attitude correspond aux mots que vous utilisez lorsque vous vous adressez à vous-même. Si, par exemple, vous venez d'atteindre le but fixé, vous pourrez dire avec joie :» Félicitations, voilà du travail bien fait». Si vous vous adressez ces mots d'encouragement joyeusement, vous attirerez davantage de bienfaits. Une attitude agit comme un pôle d'attraction, et chaque instant baigné de joie en attire d'autres. La joie et toute émotion douce ont toujours plus de pouvoir de création que les émotions négatives.

La stabilité vient d'une attitude d'équilibre. Lors de certains événements, la réponse que vous leur envoyez crée l'équilibre interne. Si un ami souffre de difficultés et que vous lui répondez avec colère ou tristesse, cela signifie que vous êtes sorti de votre centre, permettant alors aux énergies de votre ami de vous affecter.

En créant de plus en plus d'équilibre et de stabilité dans votre vie, vous prendrez conscience que les problèmes des autres vous affectent. C'est encore plus remarquable lorsque ces problèmes n'ont aucune résonance dans votre vie, lorsqu'ils ne vous touchent pas directement mais que pourtant vous êtes déprimé ou contrarié. Observez ces situations dans lesquelles votre équilibre est rompu à cause du déséquilibre d'autrui. Ce qu'il vous reste alors à faire est de vous dire que vous devez garder votre équilibre et que vous n'êtes pas dépendant de la capacité d'équilibre des autres personnes pour conserver votre harmonie et votre équilibre.

Pour la plupart, vous vous permettez de répondre de manière instable et mal assurée lorsque quelqu'un se comporte ainsi autour de vous. Lorsqu'une personne vous parle de quelque chose que vous avez mal fait ou porte une accusation contre vous, plutôt que de vous mettre en colère, vous pouvez choisir de garder votre équilibre même si cette personne n'est pas capable de le faire. Lorsque son énergie vous arrive et commence à vous déséquilibrer, observez le fait que vous êtes en résonance avec la partie déséquilibrée de cette personne. Pour ne plus y répondre, envoyez-lui votre amour. En agissant ainsi, vous recouvrez votre propre équilibre et vous vous reliez à votre être supérieur.

L'équilibre consiste à trouver le point central entre deux opposés. Vous êtes toujours en recherche d'équilibre, que ce soit au niveau mécanique par l'intermédiaire de l'oreille interne ou au niveau symbolique à travers les tours de passe-passe qui jalonnent votre vie. Votre équilibre correspond à l'image que vous en avez.

> *Vous créez l'équilibre en visualisant cet équilibre et en étant conscient que ces images d'équilibre sont bien celles que vous désirez*

Certains d'entre vous pensent qu'une vie équilibrée est bien monotone car vous aimez ce qui est original, source de situations et d'émotions intenses. Vous connaissez des personnes, perpétuellement en remue-ménage, passant d'une crise à l'autre. L'idée qu'elles ont de l'équilibre se résume à ce passage entre les extrêmes.

Pour certaines personnes, équilibre et stabilité sont synonymes d'un vide émotionnel et de quelque chose d'effrayant. Lorsque vous touchez les plans plus élevés de la réalité, vos émotions deviennent si paisibles qu'elles ressemblent à un lac calme reflétant les arbres qui le bordent et les nuages qui passent. De nombreuses personnes ont si peur de n'éprouver aucun sentiment qu'elles créent tout ce qui peut capter l'attention, plutôt que de confronter ce sentiment de vide. Souvent elles créent des situations embarrassantes et problématiques parce qu'elles ont peur de n'être remarquées par personne si leur vie est calme. Elles préfèrent recevoir une attention négative plutôt qu'aucune d'attention.

Certains d'entre vous ont besoin d'émotions intenses pour se sentir en vie. Pourtant ces émotions intenses et fortes vous décentrent. Certains d'entre vous, lorsqu'ils sont très calmes ou éprouvent peu d'émotions, pensent qu'ils sont tristes ou déprimés. Dès que le silence s'installe en vous, vous pensez que quelque chose ne va pas bien. Etes-vous si attachés à ces émotions fortes et intenses? Vous sentez-vous bien lorsque tout est calme et paisible ou vous demandez-vous quel malheur se prépare? Il faut de la patience pour s'habituer au calme. Contairement à ce que vous pouvez penser, il est plus difficile, pour la plupart des êtres, de s'accoutumer à un environnement paisible qu'à un environnement effervescent. Si l'environnement devient trop calme, ils vont créer de l'agitation parce que c'est la seule chose qu'ils connaissent.

Les gens ont besoin de plusieurs éléments pour maintenir leur équilibre. Certaines personnes réclament un emploi stable, d'autres beaucoup de temps libre, d'autres encore des activités et des changements. Plongez en vous-même durant quelques instants et visualisez un moment de votre vie où vous vous êtes senti équilibré et stable. Si vous ne parvenez pas à visualiser un moment précis, pensez alors à un symbole qui représente l'équilibre que vous souhaitez rencontrer dans votre vie. Maintenant, visualisez-vous jouissant de cet équilibre dans le futur. La représentation symbolique est un support très efficace pour attirer ce que vous désirez. Les symboles agissent à des niveaux plus profonds de la conscience que ne le font les mots car ils ne sont pas freinés par les systèmes de croyance.

L'équilibre est une notion de modération et non d'extrêmes. Conserver un équilibre de vie consiste à faire chaque chose dans de bonnes proportions. Certains d'entre vous pensent que tout irait mieux s'ils avaient plus de temps libre. Pourtant, quand vous serez à la retraite, vous ne saurez plus quoi faire de ce temps. Il existe un juste équilibre entre le travail et le jeu, le sommeil et l'activité, la vie en société et les moments de solitude; tout cela crée la joie et la paix en vous. Il ne suffit pas d'éliminer les opposés pour parvenir à l'équilibre. Il faut faire les choses avec modération, les interrompant lorsque l'énergie n'est plus disponible et les reprenant en main lorsque cette énergie est à nouveau présente. Cela signifie que vous avancez sur votre voie de façon stable et régulière.

Certains d'entre vous s'entêtent alors que l'énergie n'est plus à cela. Ne faites que les choses qui vous apportent de la joie de vivre. Vous arriverez à cette alchimie subtile de concentration et de rêverie, de raison et d'intuition, de repos et de mouvement, qui apporte la joie. Pour la plupart, vous aimez le changement et vous devez vous épanouir. Etre équilibré c'est pouvoir jongler avec le mélange subtil de toutes ces activités qui nourrissent votre vie et vous permettent d'accomplir votre destinée dans la joie.

Certaines personnes se sentent équilibrées lorsqu'elles se sentent en paix, d'autres se sentent équilibrées lorsqu'elles créent une certaine effervescence autour d'elles, ou lorsque les choses bougent rapidement dans leur vie et qu'elles sont occupées à manipuler toutes ces choses. Certains voient l'équilibre comme l'ordre et le contrôle. Vous êtes continuellement en train de créer le degré d'équilibre dont vous disposerez dans le futur en visualisant des images de vous-même dans ce futur.

La vraie sécurité existe lorsque tous les besoins sont comblés dans le Soi

Pour la plupart d'entre vous, la sécurité ne peut exister que si un objet ou un être dans le monde extérieur vous donne certains éléments vous permettant de sentir cette sécurité... Personne ne peut vous donner quoi que ce soit, excepté vous-même. Si vous ne pouvez pas vous le donner, qui d'autre le pourrait? Cela signifie que de tout ce que vous recherchez pour vous sentir en sécurité — l'argent, un ami, le mariage ou une maison— rien ne pourra combler votre besoin de sécurité intérieure.

Certaines de ces choses auxquelles les gens croient avoir besoin pour se sentir en sécurité sont les reconnaissances, les louanges, l'amour, la renommée et la fortune. Souvent, l'amour est demandé aux autres d'une étrange façon : un certain quota d'appels téléphoniques, de câlins, de «Je t'aime». Le besoin de sécurité peut aussi inclure le désir de sentir que le monde est un endroit sûr, ou le fait de se sentir «pas comme les autres» ou bien «partie-prenante». Beaucoup d'entre vous attendent des autres qu'ils vous donnent ces choses et vous êtes toujours déçus. Vous ne pouvez satisfaire vos besoins de sécurité que par vous-même; vous pouvez vous aimer, croire que le monde est sûr, vous féliciter de ce que vous faites. En fait, seul le Soi peut répondre complètement à ces demandes.

Beaucoup d'entre vous, en quête de votre plus haute destinée, choisissent les autres et leur vie comme leur propre destinée. Vous désirez alors être enveloppés par leur vie, vous les attirez à vous, vous voulez qu'ils boivent vos paroles, répondent à vos moindres caprices, qu'ils soient à vos pieds. Le désir d'être intimement impliqué dans la vie d'une autre personne et d'être présent plus dans le futur de l'autre que dans le vôtre, peut cacher le besoin d'accomplir votre propre destinée. Lorsque vous désirez trouver votre sécurité en prenant l'autre personne comme projet de vie, au lieu de vous occuper en priorité de votre propre évolution, vous êtes toujours déçu du monde extérieur. Un jour, vous découvrirez que ce besoin d'évolution ne peut pas être comblé en vous occupant de l'évolution des autres.

La sécurité vient du fait que quelque chose dans votre vie est plus grand que vous-même, quelque chose que vous voulez atteindre, quelque chose qui vous attire, vous pousse et vous appelle. Cela rend toutes ces petites blessures et ces événements insignifiants bien ridicules en comparaison. Pourtant, certaines personnes continuent à chercher cette grandeur dans les autres plutôt que de s'appliquer à leur évolution personnelle.

Pour être en sécurité, vous devez sentir que vous évoluez, grandissez et élargissez le champ de vision de votre monde

Vous pouvez penser que vous êtes plus en sécurité en restant ainsi et en maintenant un statu-quo. Pourtant, la sécurité ne vient qu'en prenant des risques, en vous ouvrant et en découvrant toujours plus ce que vous êtes. Certaines personnes ont découvert qu'en essayant de conserver un environnement sûr et en évitant de prendre des risques, elles étaient encore plus effrayées et leur insécurité grandissait. La peur diminue lorsque vous lui faites face. Vous avez peut-être remarqué que lorsque vous innovez, vous vous sentez plus fort et plus courageux dans les autres domaines de votre vie.

L'équilibre consiste à maintenir ces différents éléments auxquels vous faites face quotidiennement dans une atmosphère paisible et saine pour vous, contribuant ainsi à l'épanouissement du meilleur de vous-même.

Vous pouvez ainsi conserver ces éléments très stimulants et sentir alors, dès votre réveil, que la vie vaut le coup d'être vécue. Décidez de devenir une source irradiante de stabilité et d'équilibre pour tous ceux qui vous entourent. Offrez-vous tout ce que vous désirez pour garder cette joie et soyez prêt à accepter cet univers de paix comme il se présente.

Parvenir à l'équilibre,
à la stabilité et à la sécurité

1 - Pensez à un élément important de votre vie d'aujourd'hui. Cela peut être un gros achat, un changement de travail, la fin d'une relation. Ecrivez-le :

2 - Asseyez-vous tranquillement et détendez-vous. Laissez vos sentiments intérieurs les plus profonds remonter. Accordez au moins 5 minutes de réflexion à cette situation. Demandez de l'aide à votre être supérieur et aux forces les plus élevées de l'Univers. Ecrivez toutes les nouvelles pensées qui vous viennent :

3 - Restez dans cet état calme et tranquille. Pensez à ce que vous pouvez faire, dès maintenant, pour amener plus d'équilibre et de stabilité dans votre vie. Ecrivez vos idées :

4 - Créez un symbole représentant l'équilibre et la stabilité dans votre esprit, et ensuite, dessinez-le. Imaginez qu'il se développe, qu'il s'agrandit et prend de plus en plus de puissance :

14

ETRE CLAIR C'EST VIVRE DANS UNE LUMIERE PLUS INTENSE

Pour trouver la clarté, vous devez élargir votre vision, étendre vos notions du temps et vous ouvrir à de plus vastes perspectives. Plus votre vision s'élargit et plus vous pouvez être clair. La capacité des grands maîtres à connaître la destinée d'une âme au cours de son incarnation apporte beaucoup de clarté et de sagesse. Comment pouvez-vous développer en vous-même cette clarté?

Vous considérez votre temps davantage en semaines et en jours plutôt qu'en années ou dans la perspective de votre vie entière et de votre passage sur Terre. Si vous voulez vous voir en intégralité, vous pouvez chercher différents niveaux de clarté dans le moment présent. Cela ne signifie pas que vous devez savoir où vous allez. Mais plus la vision de ce que vous êtes est large et plus vous pouvez être clair. Si vous pouviez aller dans le futur et y contempler le temps présent, vous pourriez avoir une nouvelle perspective de ce que vous êtes; la clarté vient avec le changement de perspective. Vous utilisez certaines façons de penser, certaines habitudes et certains comportements. Chaque que fois que vous vous en libérez et que vous trouvez une nouvelle façon de penser, vous augmentez votre clarté.

La clarté n'est pas quelque chose que vous atteignez et que vous conservez. C'est un raffinement constant de vos images. Imaginez un bateau à la recherche d'un endroit pour accoster; le brouillard est épais, les hommes ne peuvent rien voir du bateau, aussi, ils restent à bord et ne bougent pas. Alors que le brouillard se dissipe et qu'ils continuent à chercher, ils entrevoient la ligne d'horizon et le rivage. Mais comme rien n'est précis, ils ne bougent pas. Peu à peu le brouillard disparaît et la vision devient plus nette. Maintenant, ils savent ce qu'il y a devant eux et ils se préparent à agir. Le processus est identique pour la clarté. Au début, les idées sont vagues et confuses, et c'est ainsi que l'essence prend forme. Puis, le processus de perception se met en place, de nouvelles idées et de nouvelles manières de voir apparaissent, encore imprécises dans leurs formes. Souvent, une simple sensation vous dit que votre atout du moment ne vous correspond plus. Cette sensation peut sembler inconfortable parce que tout processus conduisant à la clarté vous amène à dissiper votre confusion. Cette sensation peut être une attente, un désir, un souhait ou un besoin qui deviendra une part de votre conscience émotionnelle après être passée par votre niveau perceptif.

Les choses ne se clarifient pas de façon soudaine, mais il s'agit plutôt d'un processus amenant cette clarté. Lorsque le sentiment d'insatisfaction commence à poindre, vous révélant que quelque chose doit être changé, posez-vous la question : «Comment puis-je affiner cette image?» Plus vous serez précis, plus rapide sera la clarification. A l'occasion de la moindre sensation d'inconfort ou de trouble, concentrez-vous sur elle, sans penser au reste. Voyez avec précision le sens de cet inconfort. Si vous vous concentrez sur ce trouble, mettez des mots dessus et éclaircissez vos pensées à son sujet, alors vous trouverez un point de vue qui vous renseignera. Une fois que vous avez ce point de vue, la clarté s'installe. La clarté vient lorsque vous cherchez et trouvez les informations nécessaires, et lorsque vous avez la patience de chercher la lumière de sagesse qui vous aidera pour le choix le meilleur.

La clarté implique un certain pragmatisme à voir les choses, afin de les faire correspondre exactement avec ce que vous êtes et dans le but d'agir ensuite. Avant l'action se trouve la décision, et elle n'existe que par la clarté si vous agissez au niveau le plus élevé.

Quelle est la valeur de cette clarté? A quoi cela sert-il d'être clair? Vous économisez du temps; en fait, vous pouvez économiser les années passées sur le chemin d'une lente évolution. Etre clair cela signifie prendre le temps de penser au déroulement de votre vie. Il est important de penser avant d'agir. Beaucoup d'entre vous veulent agir et voir les résultats ensuite. Trouver l'action juste est un jeu d'enfant si vous prenez le temps de réfléchir, de contacter votre Soi le plus élevé et le plus subtil, de vous concentrer et de créer l'espace nécessaire à cette réalisation.

La clarté provient d'un état de concentration mentale des pensées et de l'attention

La clarté est atteinte en entraînant l'esprit à la précision et à la justesse de sa définition dans l'expérience vécue. Etre clair signifie être centré et vivre à un niveau énergétique avec lequel les autres ne peuvent interférer. Plus vous êtes clair, moins vous êtes affecté par les autres personnes ou touché par leurs désirs et leurs attentes, et plus votre chemin est clair. Vous avez besoin de cette clarté non seulement pour avancer vers votre destinée suprême mais aussi pour chacun des moments de votre vie.

Soyez *clair* sur vos intentions. Que voulez-vous faire de votre vie? Vous épanouir? Etre heureux? Etre joyeux? Servir, guérir? Plus votre niveau de clarté est élevé, plus l'énergie circule librement dans tous les domaines de votre vie. Votre destinée suprême est l'aspect de votre vie le plus essentiel que vous puissiez éclaicir. La clarté dans vos buts prodiguera une énergie pure dans chaque domaine de votre vie. Vous pouvez vous dire : «Quelle est ma destinée suprême, quelle est son essence?» C'est le désir le plus profond qui existe en vous, celui qui vous donne le plus de joie, celui auquel vous pensez ou rêvez tout le temps. C'est cette urgence de l'âme, cette motivation; c'est votre rêve.

Le niveau de clarté qui accompagne votre suprême destinée est celui des intentions. Comment exprimerez-vous votre suprême destinée? Plus important encore, avez-vous l'intention de le faire? La clarté d'intention est l'image, la vision que vous créez. Lorsque vous avez l'intention de faire quelque chose, vous pouvez avoir ou non une image claire du produit final ou du but. Dans un sens, la clarté d'intention est l'image du chemin que vous prenez ou du processus que vous voulez expérimenter pour aller vers ce choix. Vous pouvez simplement désirer une vie heureuse ou plus de clarté dans vos intentions d'action.

Après la clarté des intentions vient la clarté des motivations. Quelles sont vos motivations à faire telles ou telles choses? Quelle que soit votre action, vous devez être clair sur les raisons de cette action. Quels en sont les gains? Que désirez-vous en retirer? Le manque de clarté est souvent perçu après avoir accompli l'action, et les gains ne correspondent pas aux attentes. Vous avez peut-être créé quelque chose que vous avez cru désirer et vous prenez conscience que ce n'est pas ce que vous vouliez. Si vous aviez été clair sur votre désir, sur ce que vous espériez gagner, il aurait été plus facile à l'Univers de vous l'apporter sous une infinité de formes différentes.

Parlons aussi de la clarté des accords. A chaque niveau de relations personnelles et interpersonnelles, dans toutes relations d'affaires et dans chaque groupe il existe un ensemble d'accords tacites. Plus ces accords non formulés sont exprimés et plus vous serez clair. Beaucoup de désagréments et de problèmes surviennent lorsque ces accords ne sont pas clairs ou lorsqu'une personne suit un certain protocole d'accords et qu'une autre en suit un différent. Ces deux personnes peuvent agir avec leur clarté, mais si elles ne communiquent pas, cela peut donner lieu à des confusions.

Une communication attentive est source de clarté

La clarté de communication implique d'être précis et juste lorsque vous parlez. Cela signifie que vous n'exagériez pas vos expériences, rendant un événement désagréable terrible et un événement agréable fascinant. Vous pouvez avoir cette propension à exagérer les mauvais moments, créant ainsi une communication imprécise pour vous et pour les autres, et même des expériences troubles ou négatives. Soyez attentif aux mots que vous employez lorsque vous parlez. Rapportez-vous fidèlement votre expérience ou bien essayez-vous d'impressionner, d'éblouir ou de gagner sympathie et compassion? Voyez clairement ce que vous voulez gagner de cette communication. Désirez-vous obtenir quelque chose de l'autre personne? Agissez-vous à partir de maints accords tacites? Il est important de communiquer clairement vos attentes, si vous voulez ne pas être déçu. La communication est un facteur qui contrôle votre vie et les matérialisations que vous attirez. Lorsque vous parlez avec précision et clarté et que vous connaissez les intentions de votre communication, vous découvrez que votre expérience des autres et du monde est différente.

Soyez clair dans vos buts, dans vos intentions et dans vos motivations

Lorsque vous êtes clair dans vos buts, vos intentions, vos motivations et vos accords et lorsque vous êtes clair dans vos communications, vos actions coulent de source. Beaucoup d'entre vous veulent commencer avec une clarté d'action, alors que vous devez commencer par la clarté des buts. Votre clarté de perception vous permet de créer une vision correspondant à vos motivations, à votre Soi et à votre être essentiel.

La clarté, au sens spirituel du terme, correspond à l'harmonie établie entre les corps physique, mental, émotionnel et le Soi spirituel. Cela peut être obtenu par différentes techniques. L'aura peut être éclaircie par les techniques d'équilibration énergétique, afin de travailler la clarté à partir de votre mental. Le mental est votre outil le plus puissant. Vous pouvez créer la clarté par la visualisation et le travail sur l'aura. Unir l'esprit au mental peut apporter plus de clarté que toute autre chose. Si

131

vous désirez la clarté, demandez à votre âme de vous la donner. L'esprit détient les réponses et reste en contact avec les courants d'énergie du plan terrestre afin de vous apporter l'abondance, l'amour, la paix et tout ce que vous demandez.

Pensez maintenant à quelque chose que vous voulez clarifier. Imaginez que vous vous élevez vers votre esprit. Visualisez-le comme une énergie fine et lumineuse. Cette énergie parcourt votre mental, le purifiant complètement, réorganisant vos pensées en un schéma qui vous permette de participer à un futur probable, plus lumineux et plus joyeux. Voyez cette énergie descendre dans votre corps jusqu'à ce que les différentes couches — mentale, émotionnelle et physique — soient en harmonie. Si vous voulez en savoir plus sur votre suprême destinée ou sur une situation personnelle, c'est le moment de le demander. Vous devrez créer une intention et un certain espace pour entendre. Prenez le temps de vous asseoir tranquillement. Cela peut ne pas marcher au premier essai. Mais si vous continuez à créer l'espace nécessaire pour accueillir les pensées, c'est suffisant.

Chaque fois que vous créez un espace clair, détendu, que vous calmez votre mental et que vous demandez certaines informations, elles vous seront données. Tout comme un poste de radio qui reçoit des émissions, plus vous créez ces espaces pour recevoir et plus vous recevrez. Plus vous consacrez de temps à vous clarifier — des moments de douces pensées en union avec les plus subtiles énergies qui vous habitent — plus vous observerez que vos actions sont différentes de celles que vous avez pu faire auparavant. Vous pourrez éliminer 80%, et même plus, des actions que vous auriez faites. Si vous dédiez une demi-heure à penser et à devenir clair, vous économiserez des années passées sur une voie plus lente. Vous pouvez évoluer très rapidement au niveau spirituel en consacrant du temps à devenir plus clair, en demandant ce que vous voulez et en restant prêt à le recevoir.

Etre clair c'est vivre
dans une lumière plus intense

1 - Décrivez quelque chose qui vous semble ambivalent et confus, que vous désirez clarifier et mieux comprendre :

2 - Fermez les yeux et laissez venir un symbole représentant la résolution la plus élevée de ce projet. Dessinez ou décrivez ce symbole :

3 - Imaginez-vous plaçant ce symbole sur votre cœur; demandez cette clarté et cette nouvelle compréhension :

a) Quels éclaircissements recevez-vous sur votre façon d'agir et de penser?

b) Quelles croyances avez-vous à propos de ce qui se révèle ? Ressentez-vous le besoin d'un point de vue plus élevé ?

c) Quels choix avez-vous ? Donnez-en au moins trois.

d) Qu'avez-vous l'*intention* maintenant de faire ?

15

LA LIBERTE EST UN DROIT
DE NAISSANCE

La liberté est une sensation intérieure. C'est la capacité de choisir ce que vous voulez. Elle consiste à savoir que *vous* êtes le capitaine du bateau. Etre libre, c'est savoir que vous décidez de votre propre vie et que vous en êtes responsable. La liberté est essentielle à la joie et chaque fois que vous vous sentez manipulé ou que vos droits ne sont pas respectés, vous ne pouvez pas trouver la joie.

La liberté est primordiale si vous désirez amener à la conscience la lumière de votre âme. Vous vivez sur une planète de libre-arbitre où vous apprenez les lois d'action et de réaction, de cause et d'effet. La réalité terrestre est basée sur le choix. Quelle que soit la situation que vous viviez, que vous *pensiez* ou non disposer de liberté, vous avez choisi cette situation.

Vous apprenez par le jeu de l'essai et de l'erreur. Ne vous rendez pas coupable et ne rendez pas les autres coupables des mauvais choix que vous faites, parce que vous grandissez au travers de ces réactions et des effets de vos actions. Dans cette école terrestre du libre-arbitre que vous appelez la vie, il existe de multiples défis et de nombreuses leçons de liberté.

Les seules limites de la liberté sont celles que vous vous imposez

Comment perdez-vous votre joyeux sens de la liberté et votre droit au choix? Vous n'étiez encore qu'un jeune enfant que déjà vous étiez l'objet de multiples expectatives; et pourtant, l'enfant jouit d'une plus grande liberté qu'il n'en paraît. Un enfant est libre de répondre avec une certaine innocence, d'apprendre et de grandir sans idées préconçues. L'enfant est libre de voir les choses avec un regard nouveau, de prendre chaque expérience pour ce qu'elle est, sans la cataloguer ni l'analyser à partir d'expériences passées. Un enfant est libre, en particulier durant les premières années de son existence, de se faire des opinions basées, non pas sur des idées anciennes, mais sur des réactions naturelles.

En grandissant, l'enfant perd une partie de ses sentiments de liberté au fur et à mesure du développement de son mental. Le mental s'enquiert de schémas; il fait des associations et connecte des éléments qui seraient mieux intégrés s'ils étaient considérés séparément. Lorsqu'un événement survient, le mental examine les événements similaires, exagérant souvent le négatif, en comparant la situation présente aux souvenirs engrangés dans le passé.

Durant l'enfance, vous avez fait des mauvais choix. Par exemple, une femme avait très peur d'exposer ses œuvres d'art; elle découvrit qu'une personne s'était moquée d'un tableau qu'elle avait peint, alors qu'elle était petite. C'est ainsi qu'elle eut peur ensuite d'exposer ses œuvres. Elle cachait ses dessins, et plus, elle se sentait incapable de toute créativité. Elle eut de plus en plus peur d'affirmer son pouvoir. Elle identifiait chaque nouvelle expérience à l'ancienne, et ainsi, elle limitait le degré de choix possible pour des circonstances similaires mais nouvelles. Tout ceci la conduisit à perdre sa liberté; elle n'était plus libre de choisir sa réponse en accord avec son propre pouvoir et sa créativité.

Les enfants prennent sans cesse des décisions sur la nature de la réalité. Une autre femme éprouvait des difficultés à s'exprimer sur ses croyances profondes. Elle découvrit que, lorsqu'elle était enfant, alors qu'elle faisait un gâteau avec sa tante, elle s'est fait vertement rabrouée pour une réflexion qu'elle venait de faire. A ce moment-là, elle prit une décision et conclut que pour être aimable elle devait garder ses opinions. Quand des situations semblables se représentèrent, elle agissait à partir de ce postulat. Cet événement lui enleva la liberté de répondre spontanément et de voir chaque situation comme une expérience nouvelle. Elle eut de plus en plus peur de s'exprimer et se sentait intimidée lorsqu'elle devait donner son opinion sur un sujet à controverse.

La liberté est un droit de naissance. Elle appartient à chacun. Vous pouvez toujours dire maintenant: «Je ne suis pas libre dans tel ou tel domaine particulier de ma vie. Je ne suis pas libre de quitter mon emploi, de voyager où je veux ou de faire ce qui me plaît». Vous êtes libre,… dans la mesure où vous croyez en votre liberté.

Pour créer plus de liberté dans votre vie, ne regardez pas les domaines où vous n'avez pas de liberté; regardez plutôt les domaines où vous avez créé cette liberté

Vous avez peut-être la liberté de rentrer tard le soir si vous le désirez ou d'acheter les aliments que vous voulez chez votre épicier. Pour avoir plus de liberté vous devez regarder les libertés dont vous disposez déjà. Si vous souffrez d'un manque de liberté, cela vous met dans un rôle de victime. Chaque fois que vous êtes dans ce rôle, vous n'avez plus aucun pouvoir. Regardez plutôt les domaines dans lesquels vous avez choisi de ne plus être victime, ni des autres personnes ni des circonstances. Vous avez tous créé des libertés dans certains domaines de votre vie. Vous pouvez dresser le bilan de toutes les libertés que vous vous êtes octroyées, des libertés qui ont beaucoup de valeur pour vous et que vous ne permettez pas qu'on vous enlève.

Comment vous sentez-vous lorsque les gens vous demandent plus que vous ne voulez donner? Ils aimeraient plus de temps, d'énergie, d'amour ou d'attention. Ils peuvent vous le demander de telle manière que vous viviez cela comme une perte de votre liberté. Si cela vous arrive, essayez de savoir si une partie de vous-même ne désire pas plus de temps ou d'attention d'une autre partie de vous-même. Tout ce que vous pensez vous être enlevé par une autre personne n'est que le symbole de ce que vous ne vous accordez pas à vous-même. Si vous sentez que des personnes vous demandent plus d'attention que vous ne pouvez leur accorder ou formulent des demandes auxquelles vous ne voulez ou ne pouvez répondre, posez-vous la question: «Existe-t-il une partie de moi-même qui demande quelque chose et qui ne trouve pas de réponse en moi-même?».

Les autres agissent comme des miroirs qui vous révèlent comment vous vous traitez. Dans ce cas, questionnez-vous: «Suis-je, d'une certaine manière, en train de me limiter ou ne fais-je pas assez attention à mes propres besoins?» Vous pouvez regarder la nature de ces besoins et décider d'y porter plus d'attention. Par exemple, un homme sentait que son amie lui demandait beaucoup trop, tant au niveau du temps que de l'espace. Il aimait passer des heures entières à travailler seul mais le désir de son amie d'être ensemble était plus grand que le sien. Il commença à regarder avec plus d'attention les demandes de son amie et il découvrit que durant ces longues heures qu'il passait à travailler seul, il ne prêtait aucune attention à lui-même ou à ses besoins les plus importants. Il découvrit qu'il ne prêtait aucune attention à son être supérieur qui demandait plus de repos et de sommeil. Au lieu de cela, il travaillait d'arrache-pied des heures durant, ignorant ses besoins physiques et les besoins des autres parties de lui-même.

La femme, sentant qu'elle ne recevait pas autant d'attention et de présence de cet homme, considéra cela comme un message intérieur. Elle sentait qu'ils ne jouaient plus et ne passaient plus de bons moments ensemble. A un niveau plus profond, elle comprit qu'elle ne s'accordait à elle-même aucun bon moment; elle passait sa journée à courir et à répondre aux besoins des autres et ne prenait pas de temps pour jouer et s'amuser. Tout ce qu'elle reprochait à son partenaire, elle ne se l'offrait pas à elle-même.

La liberté est quelque chose que vous créez. Ce n'est pas quelque chose qui vous est donné et qui peut vous être repris. Vous pouvez choisir de l'abandonner ou de ne pas la réclamer, mais personne ne peut vous l'enlever. Vous seul pouvez l'abandonner. Il existe de nombreux espaces de liberté dans votre vie dont vous savez que *personne* ne peut vous priver. Il peut s'agir d'un endroit favori pour manger où vous vous sentez libre. Vous savez au fond de vous-même que personne ne peut vous en empêcher. Cela peut être la liberté de regarder votre émission préférée à la télévision, et vous savez que personne ne peut vous en empêcher. Vous avez peut-être remarqué qu'en ces occasions personne ne tente de vous en empêcher.

Lorsque vous envoyez à l'Univers un message très clair et très précis, vous n'avez que très rarement à vous battre pour obtenir ce que vous voulez

Avez-vous déjà investi par anticipation dans un projet, sachant parfaitement ce que vous vouliez et qu'ensuite vous vous êtes aperçu que vous n'aviez même pas besoin de le demander? Si vous luttez pour obtenir ce que vous désirez, cela signifie que vous ne vous sentez pas digne de recevoir ce que vous vouliez. Tous ceux d'entre vous qui travaillent de neuf heures du matin à cinq heures du soir, et ne se sentent pas libres d'une manière ou d'une autre, se croient obligés d'abandonner leur liberté. La liberté est une attitude. Etre libre dans cette situation demande que vous ayez une vision plus globale. Pourquoi faites-vous ce travail? Si c'est pour de l'argent, n'oubliez pas que vous avez librement choisi ce travail pour vous faire de l'argent et que vous êtes libre à tout moment de trouver d'autres manières de gagner de l'argent. Vous pouvez créer cette sensation de liberté à chaque instant en comprenant que vous êtes libre de répondre, réagir et ressentir comme vous le choisissez. Vous êtes libre de parler et d'agir en respectant le cadre de votre travail.

Il existe toujours un certain niveau de liberté dans tout ce que vous faites. Observez ces moments de liberté. En vous centrant sur la liberté, vous augmentez sa présence dans votre vie.

La plus grande barrière à la liberté réside dans votre façon de voir le monde. Le manque de liberté n'est pas causé par les autres personnes mais par vos propres schémas de pensée. Beaucoup d'entre vous ne se permettent pas cette liberté simplement par qu'ils ne se permettent pas le choix des réactions par rapport à une situation donnée. Par exemple, si votre ami vous critique tout le temps, alors vous réagissez par la violence ou la colère. Vous pouvez faire grandir votre liberté en trouvant de nouvelles manières de réagir. Vous pourriez peut-être dire : « Oh, mon ami ne connaît pas d'autre moyen d'agir», ou encore «Mon ami est peut-être très critique envers lui-même et il me critique simplement parce que c'est sa manière de se parler à lui-même». Vous pouvez toujours choisir la compassion plutôt que d'en faire une affaire personnelle. Vous pouvez choisir de rester centré et équilibré, même lorsque les autres personnes autour de vous ne le sont pas. C'est l'ultime liberté; c'est la liberté de choisir votre façon de répondre et d'être, et d'agir d'une manière qui élève votre énergie.

La plupart des personnes répondent par habitude plutôt que d'examiner leurs réponses. Vous pouvez toujours choisir votre façon de réagir et de répondre à tout ce qui se passe dans l'Univers. Lorsqu'elles sont face à des limites, certaines personnes commencent à s'agiter et à activer le déroulement de leur vie; d'autres restent prostrées et s'arrangent pour finir tout au dernier moment; d'autres encore réagissent par la dépression, sentant que la demande est trop énorme, et leur voix intérieure leur souffle qu'elles ne pourront jamais le faire. Vous êtes libre de choisir. Désirez-vous réagir d'une façon telle que vous vous sentiez malheureux et mauvais, ou bien de manière à améliorer votre valeur et votre estime personnelles ?

Les autres personnes vous répondent selon les directives de leurs programmes et de leurs croyances. Le pouvoir vient par la connaissance des différents choix. Vous n'avez pas besoin de changer les autres; vous n'avez qu'à changer vos réactions à leur égard. Lorsque vous choisissez de vous sentir bien, vous n'êtes pas dépendant de la manière d'agir des autres personnes pour vous sentir bien. Avant d'attirer à vous d'autres personnes qui vous soutiennent, vous apprécient et vous reconnaissent, vous devez choisir d'agir ainsi.

Le degré de soutien et de reconnaissance que vous vous accordez est à la mesure du degré de soutien que vous recevez

Chaque fois que vous choisissez de vous sentir bien, même lorsque quelqu'un vous critique, vous rabaisse ou agit de manière qui vous fait habituellement de la peine, vous conservez cette joie. Chaque fois que vous agissez ainsi, vous créez plus de liberté dans votre vie. Vous êtes libre de la nécessité de voir les autres agir de certaines manières pour vous sentir joyeux. Vous êtes libre de vos propres attentes.

Très souvent, un sentiment de malaise s'installe parce que vous restez sur des détails au lieu d'élargir votre champ de vision. Par exemple, une femme est malheureuse parce que son ami a oublié de lui apporter des fleurs. Elle cultive cette image dans sa tête où elle associe le fait de recevoir des fleurs et celui d'être aimée. Chaque fois qu'il oublie de lui offrir des fleurs, elle est malheureuse. Elle n'est pas libre de choisir la joie à cause des images qu'elle garde en elle. Si elle désire regarder la vérité et élargir sa vision, elle peut comprendre que cet homme l'aime profondément, qu'il est très amoureux mais ne voit pas dans le fait d'offrir des fleurs la preuve de son amour. Si elle regarde toutes les bonnes choses de leur vie commune, elle prend conscience qu'elle est prisonnière de ses propres attentes et qu'elle choisit le malheur à cause de ses habitudes.

Etre libre éveille le désir de donner la liberté

Vous ne pouvez pas posséder une autre personne, pas plus que vous ne pouvez entretenir de relations équitables avec quelqu'un que vous privez de ses libertés. Toute personne a le droit de faire ce qui l'épanouit et enrichit sa vie. De nombreuses personnes cessent des relations parce qu'elles n'ont pas la liberté qui leur est nécessaire pour grandir. Certaines personnes se sentent trahies par le besoin de liberté que leur partenaire peut exprimer. Elles interprètent cela comme un rejet au lieu de voir en l'autre personne le désir de trouver son être supérieur.

Ce qui est amusant, c'est que plus vous donnez aux autres de liberté et plus ils aspirent à votre présence. Ne demandez-vous pas aux autres ce que vous ne voudriez pas qu'ils vous demandent? N'attendez-vous pas qu'ils vous confient tout, qu'ils vivent selon vos images, et qu'ils soient présents chaque fois que vous le désirez? Le degré de liberté que vous enlevez à l'autre est le degré de liberté dont vous vous privez.

Imaginez un prisonnier dans sa cellule, surveillé vingt-quatre heures sur vingt-quatre. La question peut se poser ainsi : lequel des deux est prisonnier? Si vous sentez que vous devez surveiller les autres tout le temps, que vous ne pouvez pas leur faire confiance ni leur donner leur liberté, vous êtes aussi paralysé qu'eux. Beaucoup d'entre vous perdent leur liberté parce qu'ils surveillent de près tout ce qu'ils ne veulent pas voir partir. Vous surveillez peut-être votre amant, vos biens, vos enfants ou votre famille de telle façon que vous passer plus de temps à les garder qu'à continuer votre évolution.

Si vous êtes jaloux, c'est souvent par peur que les autres ne reçoivent quelque chose qui ne vous est pas donné. Si vous examinez avec plus d'attention le résultat, il s'agit bien souvent de quelque chose que vous ne donnez pas vous-même. Si vous êtes jaloux parce que votre compagne prête attention à quelqu'un d'autre et si vous voulez supprimer sa liberté de le faire, regardez ce qui se passe. Cela peut tout simplement signifier que votre être supérieur ne reçoit pas toute l'attention qui lui est nécessaire.

La jalousie supprime la liberté des deux personnes, la personne jalousée et le jaloux. Si vous vous donnez ce qui vous est

142

nécessaire, qu'il s'agisse d'attention ou d'amour, alors vous ne connaîtrez pas la jalousie. Vous vous apercevrez que vous pouvez vous satisfaire par de nombreuses sources, et pas uniquement par la personne que vous aimez. La jalousie implique le manque, l'idée qu'il n'y a pas assez. La liberté implique l'abondance et l'idée qu'il y a tout ce qu'il faut.

Déterminez-vous, dès maintenant, à laisser la liberté à tous vos proches

Laissez-les faire leurs propres erreurs et découvrir leurs propres joies. Je peux vous garantir que chaque fois que vous leur laisserez leur liberté, ils vous la laisseront aussi, et avec encore plus d'amour et de respect. Il faut être bien centré, bien équilibré et sûr de soi pour laisser aux autres leur liberté. C'est un grand cadeau que vous leur faites et que vous vous faites, parce qu'ainsi, le prisonnier n'a plus lieu d'être surveillé et le gardien est alors libre.

Vous êtes libre lorsque vous pouvez décider de votre réponse. Si vous pouvez choisir de réagir avec joie et plaisir, envisageant les choses dans un sens positif, sur le chemin de la vérité et non pas dans l'erreur, alors vous avez atteint l'ultime liberté, la liberté d'être et d'agir, révélant votre vérité la plus profonde.

La liberté est un droit
de naissance

1 - Décrivez trois domaines au moins où vous vous accordez la liberté :

2 - Existe-t-il un domaine de votre vie où vous ne vous sentez pas libre ? Exemple : «je ne suis pas libre de retourner à l'école»

3 - Pensez-vous qu'il vous serait possible de trouver la liberté dans ce dernier domaine ? Si c'est possible, donnez-vous la permission d'être libre dans ce domaine aussi. Il faudra peut-être attendre un certain temps avant que cette liberté ne se manifeste dans votre vie quotidienne; mais la liberté commence à s'installer dès que l'on y pense. Transformez chaque phrase en affirmation dans tous les domaines où vous sentez que la liberté est possible. Exemple : «Je suis maintenant libre de retourner à l'école»

16

ACCUEILLIR LA NOUVEAUTE

Si vous vous apprêtez à accueillir dans votre vie les éléments nouveaux, des idées ou des êtres, votre capacité à vivre dans la joie grandira sans cesse. Il y existe une infinité de formes-pensées pour exprimer l'idée que le futur peut être pire que le présent. C'est pour cela que vous vous accrochez à ce que vous avez, fixant les choses comme elles sont et les empêchant d'évoluer. Tout cela vous entraîne vers de grandes peines.

Accueillir la nouveauté signifie être ouvert afin de recevoir toujours davantage de la vie. Beaucoup d'entre vous pensent que ce qu'ils ont créé jusqu'à maintenant représente ce qu'ils peuvent faire de mieux. Vous faites quelque chose et vous croyez que dès votre premier essai vous excellez. Mais les essais suivants auraient pu être meilleurs. En progressant dans la vie, vous vous améliorez et devenez plus compétent. C'est le processus de la vie. Un enfant qui apprend à marcher est hésitant et maladroit à ses débuts. Avec la pratique, il prend de la force et de l'assurance. Il en est ainsi pour tout ce que vous faites. La vie est comme une spirale que vous parcourez indéfiniment, passant par les mêmes points, mais bénéficiant chaque fois d'une perspective plus élevée.

S'ouvrir à la nouveauté signifie faire confiance et avoir foi en soi-même comme dans les autres. Cela implique de croire que le futur vous réserve ses joies et ses promesses. Vous devez alors avoir confiance en votre évolution et au sens de votre vie. Le cœur est le centre de la foi, de la confiance et de la croyance. S'ouvrir à la nouveauté, c'est ouvrir son cœur et accepter de sortir de ses habituelles limites et points de vue, afin de regarder le monde d'un œil différent. Soyez assuré que le monde est un endroit fiable, et sachez que vous êtes le metteur en scène et le producteur du sénario de votre vie.

Pour vous ouvrir à la nouveauté, vous devez désirer voir le passé, non pas avec haine, colère ou dégoût, mais avec compassion. Beaucoup d'êtres interrompent leurs relations dans la haine ou achètent une nouvelle voiture lorsqu'ils sont las de la vieille. C'est une façon de quitter l'ancien pour le nouveau. Lorsque vous suivez le chemin de la joie, vous pouvez apprendre à vous ouvrir à la nouveauté et rester en paix et en harmonie avec l'ancien.

Quelquefois, lorsque les choses ne vont pas très bien dans votre vie, vous rassemblez toutes vos motivations et votre énergie pour les changer, mais vous le faites par la colère ou la peine. Cela ne doit pas être difficile de quitter l'ancien pour le nouveau. Si vous commencez à réfléchir sur ce que vous voulez, sur le déroulement que vous voulez donner à votre vie, vous attirerez très facilement et automatiquement la nouveauté dans votre vie. Si vous voulez quelque chose qui implique à une autre personne de changer ou d'agir différemment, sachez que vous n'avez aucun pouvoir ou contrôle sur cela. Les seuls pouvoirs ou contrôles que vous puissiez avoir ne concernent que vos émotions et vos réactions.

Si vous désirez quelque chose de nouveau,
soyez prêt à l'accueillir
quelle qu'en soit l'origine

Soyez ouvert aux surprises et aux nouveautés. Gardez votre cœur ouvert. Certains de vous se sentent vulnérables ou éprouvent de la peur lorsqu'ils s'apprêtent à accueillir de nouvelles personnes ou de nouvelles choses dans leur vie. Cette tension, ou anxiété, précédant un événement peut aussi être considérée comme une concentration de votre énergie afin de vous préparer à la nouveauté. Il s'agit d'un changement dans vos vibrations qui vous prépare à quelque chose de plus affiné et de plus élevé. Vous pouvez ressentir que vous devez d'abord conquérir votre peur et votre anxiété avant de vous engager dans l'accomplissement de cette nouvelle situation. Mais tout être éprouve une sensation intérieure de tension, à des degrés différents, avant de commencer quoi que ce soit. C'est la période de concentration de l'énergie afin d'effectuer cette transition vers une énergie plus élevée.

Chaque événement se produit afin de vous aider à évoluer vers un niveau plus haut. De même, tout ce qui peut vous sembler négatif ou mauvais vous montre de nouvelles manières de répondre afin que vous deveniez plus fort. Si le même problème ou la même situation se répète, prenez conscience qu'elle se déroule différemment à chaque fois. Accueillez l'élément nouveau de cette situation et observez comment vous avez réussi à amener cela à un niveau supérieur. Vous êtes peut-être simplement plus conscient qu'auparavant ou vous avez une meilleure compréhension. Vous pouvez aussi vous sentir moins impliqué émotionnellement et donc, plus capable d'en observer la structure. Chaque jour apporte de nouvelles circonstances, de nouveaux défis qui vous permettent d'évoluer. Une attitude d'ouverture et de réceptivité vous attirera beaucoup de bonnes choses. Affranchissez-vous des peurs qui essaient de vous faire croire que vous allez recevoir moins, ou même, accuser des pertes dans le futur. Au contraire, acceptez l'idée que vous serez plus sage, plus fort et plus puissant demain, et que ce que vous créerez sera encore mieux que ce que vous avez aujourd'hui. Soyez ouvert aux nouveaux concepts et aux nouveaux mots. C'est de cette façon que, très souvent, l'Univers vous envoie ses messages et ses conseils.

Vous pouvez vivre de différentes manières cette ouverture à la nouveauté. Pour beaucoup, vous ressentez un besoin de vitalité, d'excitation et d'aventure. La vie avec votre partenaire vous semble terne et routinière, ou bien, c'est votre travail que vous accusez de monotonie. Vous *pouvez* créer cette vitalité en toute chose, et ceci très simplement. Changez votre train-train du matin, levez-vous plus tôt, couchez-vous plus tard, changez vos habitudes. De petits changements suffisent à stimuler votre vitalité.

Chaque fois que vous accueillez quelque chose de nouveau, vous amenez en vous une vitalité nouvelle

Votre cœur s'agrandit, vous vous revitalisez complètement et vous rajeunissez. La vie tend toujours vers l'épanouissement, l'expansion et l'évolution. Vivre la nouveauté vous permet de mieux voir qui vous êtes vraiment. Il est futile de considérer votre passé d'un mauvais œil; voyez-le plutôt d'un regard neuf. Lorsque vous perdez ce regard neuf, votre évolution cesse et vos relations deviennent ternes. Vous connaissez peut-être des personnes qui vivent ensemble depuis de nombreuses années et qui restent bien vivantes, jeunes et amoureuses. Si vous observez leurs relations, vous remarquerez qu'elles font toujours de nouvelles choses, créant des projets et apportant une dynamique à leur vie personnelle. Elles ne cessent de conquérir de nouveaux territoires, de s'ouvrir à l'aventure et de respecter leur individualité, selon leur conscience. Les êtres qui ont vécu ensemble durant de nombreuses années considèrent leur partenaire comme eux-mêmes; ils se couchent ensemble chaque soir, se lèvent et travaillent ensemble, et partagent les mêmes vacances. Tout cela conduit à une sensation de contraction au niveau du cœur et à un sentiment d'ennui et de mort intérieure.

S'ouvrir à la nouveauté est une façon de rajeunir son corps, d'exprimer son sens enfantin d'émerveillement et de respect. En vieillissant, de nombreuses personnes se renferment; elles ne cherchent plus que ce qui est confortable, familier et sûr. Leur monde devient étroit et limité. La vie n'est plus alors qu'un processus de centration sur des détails au lieu de s'ouvrir en grand. Vous connaissez de ces gens qui ne s'occupent que de si petites choses que vous ne les prenez plus au sérieux. Ils ont cessé d'ouvrir la vision de leur vie.

Vous êtes, chaque jour, un nouvel être

Chaque matin, au réveil, vous renaissez, tout frais, tout neuf. Chaque jour, de nouvelles pensées arrivent à votre esprit, vous rencontrez de nouvelles personnes ou vous faites de nouvelles choses. En vous levant le matin, ne pensez pas aux fautes du passé; centrez-vous plutôt sur le futur et sur ce que vous allez créer.

Essayez de faire, chaque jour, de nouvelles choses; regardez si vous pouvez vous impliquer avec plus de conscience, même pour de petites choses. Lorsque vous innovez, vous êtes plus conscient et plus attentif au moment présent. Vous êtes très attentionné et pleinement éveillé. Les nouvelles choses renforcent la vitalité de votre corps physique.

Vous devez être capable d'automatisme dans votre vie. Votre respiration et les autres fonctions physiologiques sont controlées automatiquement. Dès l'enfance, votre système nerveux a appris à sélectionner les informations, parce que si celles-ci sont trop nombreuses, il manque de concentration. Ainsi, au cours de votre développement, une harmonisation s'est établie entre le fait de prêter attention à ce qui est nécessaire et de laisser de côté tout ce qui est secondaire. Dès l'enfance, vous avez développé une attention sélective, écartant de nombreuses choses de votre univers pour ne garder que l'objet de votre choix.

Face à la nouveauté, vous devez réexaminer vos habitudes et votre routine. De nombreuses personnes choisissent des métiers dangereux ou délicats pour que leur attention soit toujours vive. Elles sont obligées de vivre le moment présent. Les pilotes de course, les guides de montagne, et toutes les personnes qui se mettent dans des situations nécessitant une attention particulièrement soutenue font cette expérience d'aventure et de vitalité. Cela se produit lorsque vous n'agissez plus par automatisme mais en pleine conscience de chaque action. En choisissant la nouveauté, vous amenez à votre conscience tout ce qui aurait pu devenir routinier. Vous vivez alors l'expérience de la conscience au présent, vous vivez le moment présent.

La puissance naît du moment présent pleinement vécu, lorsque vous pouvez agir et créer votre futur

Aussi, en abordant la nouveauté, souvenez-vous que tout s'améliore; rien ne peut vous être retiré, à moins qu'un meilleur ne vous attende. Chaque creux est suivi d'une grande vague en avant. Il est facile de s'ouvrir à la nouveauté. Jouez comme un enfant. Vous avez remarqué comme les enfants vivent chaque chose comme une expérience nouvelle. Il est facile de s'ouvrir et d'accueillir la nouveauté si vous visualisez que c'est facile. Gardez dans votre esprit une image positive de votre futur et il sera meilleur que tout ce que vous avez connu auparavant. En vous épanouissant et en évoluant, ce que vous allez créer sera encore plus joyeux que ce que vous avez maintenant.

Accueillir la nouveauté
jeu

1 - Pensez à trois choses nouvelles, expériences ou activités, que vous avez découvertes cette année. En les écrivant, souvenez-vous de ce que vous ressentiez alors qu'elles arrivaient dans votre vie :

2 - Ecrivez les sentiments que vous avez connus après avoir accueilli ces nouvelles choses :

3 - Maintenant, faites une liste de trois nouvelles expériences ou activités que vous aimeriez connaître dans votre vie au cours des prochains mois :

17

FAIRE LE GRAND SAUT

Les idées nouvelles ou d'avant-garde ne viennent pas toujours comme le mental le souhaite. En imaginant ce qu'il y a de meilleur pour vous, il est important que vous utilisiez le mental pour aller encore plus loin, encore plus haut. Laissez venir les premières images de votre souhait. Alors que le mental crée les images, elles vont se porter à la lumière de l'âme, de l'être intérieur, auteur de tout ceci. L'âme renvoie alors au mental de nouvelles idées et de nouvelles visions. Votre souhait peut sembler approprié au moment où votre mental le formule, mais lorsqu'il se réalise, il ne correspond plus à l'attente. Cela provient du fait que votre mental, en demandant un certaine chose, active les ressources de votre être supérieur. Lorsque vous recevez la réponse, celle-ci est alors bien meilleure.

Vous vous demandez peut-être pourquoi certaines réponses mettent si longtemps à venir. Franchir une étape demande un certain temps et dépend de votre capacité à créer. Si vous regardez dans votre passé vos demandes non comblées, vous vous apercevez qu'elles ne correspondent plus à vos désirs et ce qui s'est manifesté était ce qu'il y a de meilleur pour votre évolution. Certaines de vos attentes ne seront comblées que plus tard.

Il existe un niveau différent de celui du mental, c'est celui de l'esprit. L'esprit vous dit comment recevoir, non par la voie du mental, mais par des coïncidences, des sentiments ou des émotions. Après avoir utilisé votre mental pour demander à l'Univers ce que vous désirez, restez à l'écoute de vos impulsions spontanées et créatrices. Elles vous semblent ne pas avoir de rapport direct avec le but que vous vouliez atteindre. Il se peut, par exemple, que vous vous prépariez un certain succès financier et soudain, vous décidez de profiter de l'été pour aller étudier ailleurs. Alors que vous faites confiance à ces pulsions intérieures, étudiant quelque part au soleil, une idée nouvelle vous apporte toute la richesse escomptée. L'âme ne cesse de vous indiquer la direction qui vous convient, mais vous avez besoin de votre confiance et de votre foi pour faire le grand saut et suivre votre guidance intérieure.

Si vous désirez effectuer un changement important dans votre vie, vous devez changer les croyances qui vous ont déjà empêché ce changement dans le passé

Si vous êtes très clair sur vos intentions, comme, par exemple, de passer d'une certaine prospérité financière à une autre, d'un succès à un autre, vous devez opérer certains changements en vous-même. En deux mots, si vous étiez déjà parvenu là où vous voulez être, au niveau de votre personnalité, de vos émotions et de votre mental, vous n'auriez plus besoin de faire quoi que ce soit; vous posséderiez déjà ce que vous persistez à désirer. Un femme vint me voir et me dit : «Je veux être millionnaire; pour l'instant, je n'ai pas même de quoi payer mon loyer, mais je veux être millionnaire; et je veux que cela aille aussi vite que possible». Si elle *croyait réellement* obtenir ce qu'elle demande, elle l'aurait déjà.

Lorsque vous demandez à l'Univers qu'un changement s'opère dans votre vie, cette requête passe de votre mental à votre esprit. L'esprit retransmet alors des signaux à votre mental et à votre être émotionnel pour leur montrer la meilleure manière d'obtenir ce changement. Vous devez donc être très attentif à ce genre de signaux. Vous devez vous transformer à différents niveaux, afin de permettre ce changement. Nous venons de parler du désir d'un meilleur succès financier, et cette femme devra apprendre les nombreux principes de la prospérité. Pour cela, son âme la dirigera vers certains livres ou vers une personne, afin d'apprendre ces principes. Il se peut qu'elle ne désire pas véritablement abandonner les images passées liées à son infortune. Il se peut que son cœur ne soit pas suffisamment ouvert pour recevoir et mériter tant d'argent. Elle recevra donc de multiples leçons qui l'aideront à ouvrir son cœur. En fait, son manque de confiance est peut être tel que son succès doive attendre qu'elle développe d'abord sa foi et sa confiance. Quelle que soit votre demande, il se peut que vous ayez à abandonner quelque chose pour la satisfaire. Si vous demandez de l'argent, vous devez abandonner toutes vos images de manque, votre façon de vivre qui était le reflet de ce manque, ainsi que votre façon de dépenser et d'acheter. Votre âme vous présentera de nombreux défis et diverses opportunités pour progresser et vous aider à abandonner ces images de manque. L'argent peut arriver d'abord sous forme de petites sommes afin que vous puissiez exprimer votre désir de le dépenser dans le sens de la prospérité. Ainsi, votre énergie interne change, vos programmes, vos décisions et vos croyances se transforment, et des idées plus concrètes commencent à germer, vous permettant de gagner tout l'argent que vous désirez. Cela peut prendre un an, deux ans et peut-être plus avant que vos programmes concernant le manque d'argent soit clarifiés et que de nouvelles idées d'abondance s'installent. Ensuite, vous créerez différentes manières d'attirer la richesse et vous les affinerez jusqu'à ce que la prospérité soit pour vous un état de fait.

Certaines personnes arrêtent tout si les résultats ne viennent pas rapidement, parce que leur mental ne voit pas le lien existant entre les leçons qu'elles reçoivent et leur demande de transformation. Leur mental se met alors à croire que les événements les conduisent dans des directions complètement opposées parce que, malgré leurs demandes répétées, elles se trouvent toujours dans les situations contraires. Quoi qu'il en soit, si vous êtes assez attentif pour voir combien ces oppositions — ou ce qui apparaît comme tel — vous permettent d'évoluer, vous comprendrez que ces événements transforment votre énergie et vous ouvrent d'une certaine manière pour vous permettre de recevoir ce que vous demandez.

Par exemple, cette femme qui demande de doubler son salaire mensuel. Peu de temps après, son patron lui diminue son salaire de moitié pour diverses raisons. Elle peut alors avoir l'impression de recevoir le contraire de ce qu'elle avait demandé. Au lieu de cela, elle songe de plus en plus à se lancer elle-même dans les affaires, comme elle en rêve depuis des années. Cette baisse de salaire devient une motivation pour aller de l'avant et lancer sa propre affaire. Quelques années plus tard, elle obtient le salaire qu'elle avait demandé, mais dans sa propre affaire.

Comme vous le voyez, le fait de changer demande bien plus que le fait de demander et de recevoir. Vous devez juste aller en vous-même, renforcer votre foi et votre confiance et ouvrir votre cœur. Vous devez faire confiance en vos guidances intérieures et en vos impulsions pour passer du niveau présent à un niveau plus élevé d'abondance. Vous devez abandonner de nombreuses images que vous avez de vous-même. Vous aurez maintes opportunités d'évolution pour changer ces images mentales. Pour l'âme, l'évolution est toujours une joie et elle est toujours disposée à vous aider dans cette voie. Que vous évoluiez à travers la douleur ou à travers la joie, c'est toujours l'évolution qui est le but final, et cette évolution est nécessaire pour vous permettre de recevoir ce que vous avez demandé. L'âme laisse le mental évoluer avec beaucoup de libre-arbitre en vous permettant de choisir vos buts et les changements que vous désirez.

Plus vous pouvez vous aider de votre mental, plus vous pouvez participer à l'évolution de votre âme. Lorsque de nouvelles idées naissent dans votre mental, il s'élève et s'unit à votre esprit qui se place hors des énergies denses du plan terrestre. L'esprit vous répond à travers vos émotions, le plus souvent par vos sentiments, pour vous donner l'impression que vous devez agir d'une certaine manière. Lorsque ces sensations vous parviennent, vous essayez quelquefois d'ignorer votre mental (pour ne pas le mettre en tort), parce que le mental cherche bien souvent des raisons et des explications avant d'agir. Si votre désir de faire quelque chose est vraiment fort, il est très important de suivre ce désir. Le mental peut essayer de vous raisonner à ce propos parce qu'il suit les programmes habituels qu'il connaît. Ce désir impérieux vient de votre âme qui a une vision bien plus large que votre mental ne peut le concevoir, afin d'obtenir ce que vous avez demandé. Elle vous conduit dans une direction que votre mental ne peut prévoir.

Ainsi, vous prendrez la décision, un peu comme une étape à franchir, de suivre cette guidance intérieure, ce sentiment intime de votre âme. Il existe deux niveaux de réalité. Dans le premier, votre mental se fixe des buts: être très clair sur ses intentions, faire ce qu'il faut pour y arriver; alors, il stimule votre volonté. Dans le second niveau se trouve votre âme, et votre être intérieur se diffuse dans toutes les directions, attirant à vous les coïncidences, les personnes et les événements, afin de créer ce que vous demandez. Tout cela se passe au-delà du mental; vous devez suivre vos impulsions et vos guidances pour vous laisser porter par le courant.

Vous pouvez choisir la vitesse de réalisation de vos buts

Pour abréger le délai existant entre votre demande et la réponse, soyez d'abord clair sur vos buts. Certains d'entre vous sont si peu précis que leur mental vagabonde sans arrêt, ne formulant aucune requête claire à leur âme et, de ce fait, leur âme passe tout son temps à les guider vers la clarification de leurs désirs. Plus vous affirmez avec clarté et précision ce que vous voulez, quel qu'en soit le domaine mais avec un plan de progression précis, et plus vous recevrez rapidement. Il se peut que la forme ne corresponde pas exactement à votre demande, mais votre âme a créé pour vous l'essence de ce que vous vouliez.

Pour être bien précis, vous donnez l'essence de votre demande. Cette essence correspond à l'évolution vers laquelle vous vous dirigez avec chaque changement important qui se produit en vous; aussi, je vous suggère de considérer chacune de vos requêtes et de vous questionner : «Quelle est l'essence de ma demande?» Si vous regardez ce que vous essayez de créer, vous vous apercevez que vous avez déjà reçu l'essence de votre demande. Par exemple, si vous désirez une liaison amoureuse, vous n'avez peut-être besoin que de vous sentir aimé. Votre âme peut vous faire rencontrer cet amour sous différentes formes; cela peut être à travers un ami proche, un enfant ou un animal familier, une promotion dans votre travail, ou toute autre manière qui vous permette d'accepter de recevoir cet amour. Si vous désirez un corps plus svelte, l'essence de votre désir peut être l'amour de vous-même. Si vous êtes prêt à aller directement à l'essence de la requête lorsque vous décidez de changer, vous vous transformerez plus rapidement.

Si vous êtes tenté de faire un saut dans le passé et d'y constater: «Je voulais cela, mais je ne l'ai pas eu», alors regardez attentivement l'essence de votre désir. Vous l'avez déjà obtenue de multiples manières. L'âme est très créative pour ce qui est de répondre à vos demandes. Elle se doit d'être créative parce que le mental est relativement restreint dans ses aptitudes à demander. L'âme accepte toutes les demandes orientées vers l'évolution et les diffuse dans toutes les directions possibles.

Des accords sont passés entre le mental et l'âme. Un de ces accords veut que le mental sélectionne le sens de son évolution et l'âme agrandit cette image et les choix du mental. Le mental peut agir sur les différentes opportunités présentées par l'âme. Il existe ainsi une constante inter-relation entre l'âme et le mental, un peu comme cette danse qui existe entre le mental et le corps. Le mental crée l'image de ce qu'il désire et transmet les informations au corps. Le corps a alors la possibilité d'accepter et d'agir suivant les directives que donne le mental; il peut aussi les refuser.

Les transformations émotionnelles sont souvent nécessaires avant de faire le grand saut

Lorsque vos émotions sont lourdes, tristes et négatives, l'aura qui entoure votre corps est dense. Cela revient à conduire avec un pare-brise sale. Vous ne pouvez voir ni très clairement ni très loin. La lumière de votre âme ne peut pas briller. Votre âme vous guide et vous aide à prendre conscience des aspects de votre vie qui sont responsables de troubles émotionnels, et à les faire disparaître. Trouvez des moyens de calmer vos émotions, parce qu'ainsi vous atteindrez vos buts plus rapidement. Lorsque vous êtes calme, paisible, votre âme peut venir au travers de vos émotions pour vous guider. L'âme vous guide au travers du corps émotionnel en cas d'urgence, au travers d'inspirations ou de sensations soudaines qui vous portent dans un espace différent.

Faire le saut n'implique pas une volonté délibérée de se débarrasser de ses ennuis et déceptions, mais plutôt le désir de créer le plaisir et la joie. Pensez à ces moments où vous venez de créer quelque chose de grand, et vous trouverez les motivations qui vous ont permis de créer cela. Vous dites souvent : «Je *dois* faire ceci pour être heureux.» Si ces choses ne vous apportent qu'une sensation de soulagement, vous continuerez à les accomplir comme une *obligation* et non pas comme un accomplissement. Vous devez trouver les désirs-motivations pour tout ce que vous voulez entreprendre. Il vous faut de solides motivations et une réelle directive intérieure pour faire le grand saut vers la transformation. Cela ne marchera pas si votre mental l'a créé seulement comme une chose agréable ou bonne. Il faut que cela vous porte à tous les niveaux, vous stimule émotionnellement, et que vous désiriez vraiment le faire.

Ne pas aimer la pauvreté n'est pas suffisant pour en sortir. Vous devez vraiment désirer et aimer gagner de l'argent si vous en voulez. Vous ne pouvez pas obtenir ce que vous désirez en détestant son manque dans votre vie. Aussi cherchez à savoir, chaque fois que vous voulez faire un grand saut en avant, quelle *est* votre motivation. Si vous ne voyez aucune motivation autre que celle de vous sentir mal à l'aise tel que vous êtes, posez-vous cette question : «Quelle motivation puis-je trouver?» Tout ce que vous créez, ou ce vers quoi vous tendez, a un sens pour vous et vous apporte de grandes joies et du plaisir. Vous pouvez toujours trouver l'argent nécessaire pour faire ce que vous avez envie de faire. Vous pouvez toujours trouver le temps néces-saire pour faire ce qui vous passionne. Il en est de même pour cette profonde transformation. Si vous pensez devoir complè-tement transformer un domaine de votre vie, mais que vous ne l'avez pas encore fait, demandez-vous si vous voulez réellement ce changement. Vous connaissez la différence.

Si vous travaillez en vue de ce changement encore non réalisé, sachez maintenant que tout ce que vous faites dans votre vie vous en rapproche. Entrez en vous-même pour un moment et posez-vous cette question: «Quel grand saut suis-je en train de préparer? En quoi les événements récents m'y préparent-ils?»

L'esprit travaille mieux s'il possède des repères dans sa progression

D'une certaine manière l'esprit est comme un enfant. Les enfants ne pensent pas à l'université à l'âge de deux ans. Ils pensent à manger et à voir leurs amis. L'esprit est ainsi. Créez quelque chose qui sera agréable demain - un petit pas, une petite action qui vous rapprochera de votre but. L'esprit aime avoir des repères et sentir qu'il réussit. Qu'est-ce que vous aimeriez créer demain et qui vous rapprocherait de votre ultime destinée? Dans un même temps, questionnez-vous : « Y a-t'il une urgence intérieure à propos d'une chose que je dois faire et que j'ai mise de côté?» Ce à quoi vous pensiez peut prendre trop de temps ou n'être pas adéquat.

Ainsi, vous pouvez commencer à travailler sur vos émotions et votre mental afin de vous préparer au grand saut. Si chaque matin en vous réveillant vous répondez à ces questions: «Quelle est l'urgence intérieure de cette journée?» et «Que puis-je faire pour démontrer à mon mental que je m'approche des buts fixés?», vous progresserez beaucoup plus rapidement. Le mental aime sentir qu'il avance; vous devez le satisfaire. Les émotions sont plus joyeuses lorsqu'elles réalisent un progrès. Soyez conscient que le pas que vous faites n'est peut-être pas celui qui vous est nécessaire. Malgré tout, il vous apporte une satisfaction et vous fait progresser. Le mental n'est pas capable de relier des événements —un appel téléphonique, un problème particulier qui émerge— avec cette progression. Souvent, votre vision est grandiose, mais tous les petits constituants de cette vision ne semblent pas se correspondre au moment présent. Ainsi, même la remarque d'un ami ou un appel téléphonique peuvent participer à cette évolution. Le mental, encore ignorant de tous les nouveaux domaines qui s'ouvrent ou d'un changement des croyances, n'entérine pas nécessairement le mouvement qui s'amorce. Il ne pense pas que vous évoluez ou que vous atteignez un de vos buts. Il fait preuve d'impatience et d'incrédulité, il peut obscurcir vos émotions et rendre cette transition plus difficile. Si vous pouvez donner à votre mental la satisfaction d'avoir accompli quelque chose, cela aidera vos émotions.

Demandez-vous quel pas vous aimeriez faire pour vous rapprocher de vos buts. Demandez-vous s'il n'existe pas des urgences intérieures auxquelles vous pourriez répondre au cours du mois prochain. Elles n'ont aucunement besoin d'être dépendantes des buts fixés.

Prenez une décision et tenez-vous y.

Faire le grand saut

1 - Quel grand changement aimeriez-vous dans votre vie ?

2 - Devez-vous abandonner quelque chose pour que cela se produise (des croyances, des attitudes, des choses ou des personnes) ?

3 - Quelle est l'essence de ce but ? Existe-t-il autre chose qui vous donnerait en essence ce que vous désirez ?

4 - Quelle est votre motivation pour y arriver; qu'allez-vous en retirer ?

5 - Souvent ces urgences intérieures ou ces impressions présentes dans votre mental sont liées avec cette transformation, même si cela ne semble pas évident à première vue. Ecrivez la liste de ces urgences intérieures qui vous appellent?

6 - Que pouvez-vous faire au cours de la semaine prochaine pour vous rapprocher de votre but ?

18

VIVRE SON IDEAL

L'idéal est ce courant d'énergie que vous intégrez lorsque vous créez quelque chose utile à l'humanité ou à votre évolution spirituelle personnelle. Dépourvu de buts élevés, vous n'êtes qu'un vagabond perdant son temps à errer sur les multiples chemins de vos potentialités négligées. Doté des buts élevés correspondants à votre ultime destinée, vous choisissez chaque moment, chaque heure, chaque jour, chaque semaine à bon escient. Cela vous permet de vous épanouir et d'évoluer rapidement.

Vous avez tous une ultime destinée. Vous êtes venu sur Terre pour participer à un système d'énergie particulier, en rapport avec les émotions, la personnalité et les pensées, et qui fait correspondre ce qui se passe en vous avec la vision que vous avez du monde extérieur. Vous avez fait cela afin de créer et de voir qui vous êtes réellement. Il existe d'autres univers où les formes évoluent plus rapidement; à la minute où elles sont conçues, elles apparaissent et disparaissent.

Les choses vont plus doucement ici. Le temps est ralenti afin que vous puissiez voir certaines choses. Vous vous limitez par une fraction du temps que vous délimitez par la naissance et la mort, et vous travaillez sur des énergies spécifiques. Je parle à partir d'un point de vue plus universel parce qu'à l'échelle de l'Univers, le plan terrestre est très lent. La longueur d'onde est très étirée afin que vous restiez dans la matière. A partir de là, vous désirez évoluez vers une fréquence plus élevée afin d'y apercevoir d'autres aspects de la réalité. Il existe certains lieux où vous êtes davantage des êtres de pure énergie, non limités par le monde concret du temps, de l'espace et de la matière.

Ici vos pensées créent et deviennent réalité; disons que votre monde est un monde de pensées matérialisées. Il faut beaucoup de temps pour créer une forme, et pour certains d'entre vous, il en faut encore plus pour la laisser venir. Puisque le temps est si ralenti ici, il faut économiser l'énergie, et c'est une des raisons pour lesquelles il peut vous sembler si long de créer votre désir.

Si vous vous centrez sur quelque chose que vous voulez obtenir, vous pouvez y aller directement. Quelquefois, il peut se passer des années entières avant d'atteindre votre but, mais s'il est élevé, vous pouvez économisez du temps. Lorsque je parle de but élevé, je veux parler de la concentration du temps, de l'accélération de l'évolution de votre âme et de l'élévation de vos vibrations. Plus votre but est élevé, moins vous perdez d'énergie et plus vite vous arrivez au sommet. Finalement, le but le plus élevé est l'évolution spirituelle.

Une nouvelle maison ou un livre ne sont pas un but d'évolution. Mais le processus par lequel vous créez ces choses et l'épanouissement que cela vous apporte par l'acquisition de nouvelles compétences, d'intuitions, d'ouverture de cœur, la nouvelle vision de la beauté que vous donnent les fleurs de votre jardin, les sensations du travail bien fait, l'attention et la concentration dans votre travail. C'est cela un but élevé, c'est cela l'évolution.

Evoluer spirituellement signifie accroître votre conscience de la beauté, ouvrir votre cœur et vivre plus intensément l'amour et la compassion

Lorsque je parle de buts élevés, je parle des buts de l'âme. Ils consistent à équilibrer toutes vos énergies et à harmoniser votre être aux vibrations de votre âme. Vous avez tous une fréquence pour votre âme, un son ou une note.

Plus vous exprimez cette note par votre voix, plus vous pouvez matérialiser ce qui correspond à votre être intérieur. Vous remarquerez que lorsque vous chantez cette note, votre respiration s'approfondit et s'harmonise. Vous pouvez commencer en laissant des sons sortir de votre bouche jusqu'à ce que vous trouviez un son joli et agréable. Cela vous aidera à purifier votre aura et à augmenter votre fréquence vibratoire... simplement en émettant cette note jolie et agréable. Cela harmonisera les différentes parties de votre être.

L'évolution se produit de différentes manières, selon votre chemin. D'une façon générale, l'âme lève l'ancre au niveau du plan terrestre dense pour s'élever vers des niveaux de plus en plus subtils. Pour certains, tout cela va très vite, pour d'autres le voyage est plus lent. Qu'est ce qui ralentit cette évolution? D'abord, l'incapacité à dépasser la forme alors qu'elle est vide d'essence. Lorsqu'une forme est créée mais qu'elle n'a plus aucune raison d'être, il faut l'abandonner. Vous le voyez bien dans les relations de couple : combien s'accrochent encore alors que l'énergie vitale n'est plus là. Ce qui vous ralentit aussi, c'est le manque de but. Si vous cherchez à vous élever, vous y arriverez si c'est votre but. Vous pouvez ainsi prendre chaque situation de votre vie et vous questionner : «Est-ce que cela m'épanouit et m'élève ou non?»; si la réponse est négative vous pouvez demander alors: «Existe-t-il une manière de changer ou d'être, avec telle personne ou telle situation, qui puisse participer à mon évolution ?»

Vous pouvez vivre avec des buts élevés dans n'importe quelle situation. Vous pouvez vous tenir en-dehors de ces énergies denses qui correspondent aux émotions lourdes, comme la peur ou la peine. La Terre peut être un très bel endroit pour y passer sa vie. La capacité à jouir de vos sens, à entendre des sons, à toucher, à ressentir et à connaître l'amour peuvent être des expériences joyeuses. Vous *pouvez* ne plus vous sentir isolé. Vous créez la séparation et l'isolement dans tant d'occasions. Dans votre univers, vous n'êtes pas seulement des individus distincts, de plus, vous êtes séparé de votre être le plus intime. Par exemple, chaque fois que vous éprouvez un doute sur votre force ou vos qualités, vous êtes séparé de votre être supérieur. Votre âme doit unir toutes vos différentes parties et les fondre avec votre être supérieur.

Vous pouvez parler de buts en termes de désirs concrets que vous voulez accomplir. Je vous recommande de vous poser cette question avant tout : «Quelle est l'essence derrière la forme?» Si vous voulez vous lancer dans les affaires, quel en est le but ultime; de quelle manière va-t'il servir la planète? De quelle manière va-t-il vous servir? Si vous voulez atteindre le succès financier, quelle en est l'essence? Comment puis-je servir mon être supérieur au travers de cette forme? Si vous voulez de l'argent pour diffuser votre travail, pour créer un projet qui servira les autres, si vous voulez être le vecteur de tout cela au-delà de simples raisons égoïstes, alors l'Univers vous donnera de l'argent en abondance. Mais tout ce que vous désirez posséder ou détenir ralentira votre évolution. L'Univers, dans son amour et sa douceur, essaiera de vous éviter cela. Si vous continuez à vous accrocher à des choses devenues inutiles depuis longtemps, vous vivrez dans une énergie plus lourde et plus dure, basée sur la lutte.

La vie n'a pas besoin d'être dure

Vous pouvez créer la joie en adoucissant votre énergie. Qu'est-ce que j'entends par adoucir votre énergie? Lorsque des personnes sont désagréables avec vous, vous pouvez leur répondre par la colère et la rudesse, ou vous pouvez vous adoucir au point de les voir avec une profonde compassion. Ainsi, vous séparez votre énergie de la leur au niveau de la personnalité et cela vous permet un contact avec le cœur.

Beaucoup d'entre vous pensent qu'ils doivent exercer un grand contrôle sur leur énergie. Si vous vivez en accord avec vos buts, vous vivrez en harmonie avec votre énergie sans devoir la contrôler. A un niveau plus concret, cela signifie que vous ne perdrez plus de temps, même au niveau mental, et vous ne serez plus tenté de revivre des situations qui n'ont pas été source de joie dans le passé. Encore une fois, émettez votre son personnel, chantez, pour vous recentrer. Voyez comme votre mental se clarifie et se libère par cette pratique. Plus vous explorerez votre vibration, plus vous trouverez la note qui est en harmonie avec votre être. Ce n'est pas quelque chose qui peut être appris, mais quelque chose que vous devez trouver par vous-même. C'est un son paisible, joyeux et agréable, et vous vous sentirez mieux après l'avoir chanté.

Avant votre naissance, vous ne cherchiez pas spécifiquement mais simplement vous décidiez de quel genre d'énergie vous vouliez. Les choses qui vous arrivent, la carrière que vous choisissez, les personnes que vous attirez ne sont que le reflet de votre évolution. Elles en sont la création et le produit. Cela peut vous gêner de penser qu'une nouvelle maison ou qu'une rencontre, puissent être des marques de votre évolution. D'une certaine manière, elles le sont, mais vos progrès ont déjà été enregistrés bien avant que cela n'arrive.

Entrez à l'intérieur de vous-même pour un instant et sentez votre énergie; laissez une image, un symbole, un sentiment ou un mot venir, qui représente votre but actuel. Sur quoi est centrée votre évolution durant cette vie-ci? Quels sont vos principaux défis? Que désirez-vous créer dans ce monde de la matière ?

L'ultime destinée est toujours quelque chose que vous aimez

Au cours du mois prochain, devenez plus conscient de vos buts. Faites cela comme un jeu, le cœur léger. L'ultime destinée vous apporte les plus fines énergies de la vie, à travers un contact très intime avec la personne que vous aimez, une entente joyeuse d'un groupe d'amis, une concentration et une légèreté dans votre travail. La joie existe à chaque instant si vous vivez en accord avec vos buts.

Manifester son idéal signifie croire en soi-même et en la bonté de l'Univers. Si vous devez prendre des décisions en rapport avec la matérialisation de ce but ultime, il est préférable de croire en vous-même et de faire confiance à l'Univers. De mon point de vue, il y a tant d'amour, il y a tant d'êtres vivant près de chez vous et que vous pouvez rencontrer pour partager cet amour; il y a tant d'argent dans votre société, que vous pouvez créer tous les buts que vous pouvez vous fixer.

Que se passerait-il si chacune des cellules de votre corps était en relation avec votre ultime destinée? En gardant cet idéal dans votre cœur, vous affinez votre corps physique, vous élevez vos pensées et apportez la paix dans vos émotions. Tout le processus consiste à atteindre votre être intérieur, à l'exprimer et à vous élever avec vos énergies. Cette vie vous donne la possibilité de trouver la lumière et de vivre dans la joie. Tout ce que vous aurez acquis à la fin de votre vie terrestre vous appartiendra. Tout ce que vous aurez gagné, chaque endroit que vous aurez rempli de joie, de rire, de paix et de contentement seront présents dans votre prochaine vie, où que vous soyez. Chaque fois que vous impliquez votre corps, en mangeant de façon équilibrée, en faisant plus d'exercices, en dansant, en jouant, en vous concentrant, en vous purifiant, vous impliquez aussi votre vie future. Un des buts de cette vie terrestre consiste à contacter votre être supérieur et à vous unir en esprit à tous les niveaux. Vous avez tous la capacité d'aider et de guérir les autres et vous avez, pour la plupart, le sincère désir de le faire.

Réveillez-vous un matin, ne serait-ce qu'une fois par an, et gardez votre idéal comme un symbole entre vos mains. Faites ceci : imaginez que vous avez entre vos mains l'idéal pour lequel vous vous êtes incarné cette fois-ci. Portez-le dans votre cœur. Eclairez-le et demandez guidances et assistances aux forces supérieures. Sentez votre énergie monter et laissez faire pour qu'elle vous revienne. Adressez à l'Univers ce message exprimant votre désir profond d'évolution. Vous aurez ensuite de multiples occasions de grandir et d'évoluer et aucun de vos défis ne sera au-dessus de vos capacités et de vos compétences. La Terre peut être un endroit très agréable. Il est certain qu'à des niveaux d'énergie plus grossiers et plus denses cela ne semble pas être si agréable.

Vous apprenez et évoluez à partir de ce que vous créez

Vous générez des crises parce que ce sont des périodes durant lesquelles vous vous sentez proche de votre âme, vous vous ouvrez dans toutes les directions et vous vous unissez à votre âme. Si vous êtes prêt à vivre votre idéal, à vous écouter, à rester uni à votre âme et à agir suivant ses inclinaisons, vous n'aurez pas besoin de créer des crises et des luttes. Vous n'avez pas même besoin de connaître la forme que prendra votre but; votre profonde conviction permettra, à elle seule, d'amener cet but dans votre vie. Les buts sont les mouvements de l'âme, l'énergie qui unit le ciel et la Terre. Vous disposez de repères concrets — une nouvelle maison, un mariage, ces choses que vous cherchez. Ce ne sont que des cérémonies qui marquent l'évolution de votre âme. Comme vous êtes tous en train d'évoluer rapidement, vous devez vous créer des défis afin de mieux vous situer. Cela peut être vécu comme de joyeuses occasions sur un niveau élevé ou bien comme des crises et des luttes à un niveau inférieur.

Si vous voulez vivre en accord avec votre idéal, commencez par un certain engagement. Comment passez-vous votre temps? A quoi pensez-vous lorsque vous êtes seul? Habituez-vous à rester sur un niveau élevé de pensées lorsque vous n'avez rien de spécifique à faire; pensez à vos raisons d'être sur Terre ou à l'aide que vous pouvez apporter à l'humanité. Les buts se définissent en restant au service de votre être supérieur, en aidant les autres et en étant prêt à offrir les services qui s'accordent avec votre plus haute vision, quelle qu'elle soit. Pensez à quelque chose que vous pouvez accomplir au cours de la semaine prochaine, quelque chose de particulier qui soit partie intégrante de votre idéal, à court terme ou à long terme. Soyez prêt à reconnaître ce que vous allez faire comme un moment de vie consacré à votre idéal. Lorsque vous aurez fait cette première action, vous serez prêt à en faire une autre, et ainsi à progresser vers votre idéal.

Demain, tout au long de la journée, sentez en vous-même la merveilleuse personne que vous êtes. Voyez la beauté en vous. Ressentez votre force intérieure et reconnaissez vos qualités. Voyez comme vous êtes plein d'amour et sentez la lumière qui vous entoure. Acceptez-vous, regardez votre idéal. Vous savez ce que vous devez faire pour progresser. Vous ne le faites peut-être pas à cause de vieux souvenirs ou de blocages, mais vous savez ce que vous voulez. Laissez tout cela refaire surface, sortir de votre inconscient et des chuchotements de votre esprit pour en faire une réalité. Gardez votre vision bien devant vous. Si vous voulez une vie calme et tranquille, être un bon parent, avoir un mari ou une femme qui vous aime, vous estime et vous chérisse, réalisez cette vision. Prenez la décision de l'obtenir. Soyez clair dans vos intentions. Si vous voulez servir la planète, si vous voulez être prospère, si vous voulez vous ouvrir à de nouvelles créativités et aptitudes, il y a toujours une partie de vous-même qui sait comment le faire. Parlez à cette partie de vous-même, demandez-lui de vous éclairer. Observez votre dialogue intérieur et écoutez les réponses que vous recevez de cette partie de vous-même.

Matérialiser consiste à avoir confiance et foi en soi-même et à garder la vision choisie bien en face de soi. Il existe de multiples raisons de ne plus croire et de perdre confiance en l'Univers ou en soi-même, mais il y a aussi de multiples raisons pour continuer à le faire. L'Univers vous teste pour voir dans quelle mesure vous tenez à votre vision. Tout but peut être atteint si vous insistez.

Vivre son idéal

1 - Pensez à un de vos buts, en particulier, celui qui vous vient à l'esprit maintenant. Ecrivez-le :

2 - Fermez les yeux et pensez à un symbole qui représente l'accomplissement de ce but, impliquant son utilité pour vous-même ou pour l'humanité. Dessinez-le ou décrivez-le :

3 - Prenez ce symbole dans vos mains, portez-le près de votre cœur et demandez-vous , :
a) En quoi la réalisation de ce but apporte-t-elle plus de lumière dans ma vie ?

b) En quoi apporte-t-elle plus de lumière dans la vie des autres?

c) En quoi est-elle utile à l'humanité ?

4 - Que pouvez-vous faire, aujourd'hui ou demain, aussi minime cela soit-il, afin de vous rapprocher de ce but ?

19

POUR QUOI ETES-VOUS ICI ?

Vous êtes, pour la plupart, dans un état de transition. L'état de transition est toujours générateur d'une grande masse d'énergie. Que vous vous sentiez en forme ou non, vous vous sentez certainement bien vivant, rempli d'inspiration et d'énergie, quels que soient les changements intervenant dans votre vie. Cette puissante partie de vous-même, cette partie qui est capable d'être détachée et d'observer, qui regarde la lumière, qui désire une vie meilleure pour vous, plus joyeuse et plus agréable, cette partie-là est en train de s'ouvrir.

Pour quoi êtes-vous ici? De retrouver votre but ultime vous permet de suivre votre destin. Ne vous méprenez pas sur ce que je dis; vous êtes des êtres libres. Vous n'avez pas choisi un parcours que vous *devez* suivre. Vous avez sélectionné un certain plan, quelques schémas et un lieu pour naître. Vous avez décidé de certaines circonstances de votre vie et vous avez été lancé dans cette direction. Une fois sur Terre, votre vie est complètement spontanée et vous avez un pouvoir de décision à chaque instant. Il n'y a aucune limite prédestinée à votre élévation. Aucune limite !

Votre vie est un monde infini;
vous pouvez aller au-delà de tout
ce que vous connaissez

173

Pour voir votre destinée, regardez au-delà des formes-pensées générales qui existent. Vous avez grandi dans un climat de pression pour agir, accomplir, être, se faire un nom, avoir du mérite. A la vue de votre idéal, posez cette question à votre âme et à votre être : «Suis-je en train de faire cela pour moi, pour le meilleur de mon évolution ou bien pour plaisir des autres, et de vivre ainsi selon l'image qu'ils ont de moi? Est-ce que je fais cela pour recevoir en retour ou pour être remercié? Ou bien, est-ce que je le fais parce que je le veux et que cela me correspond et m'apporte de la joie?»

Il y a tant de schémas et de croyances dans votre culture sur ce qui est juste et bon —faire de l'argent, être célèbre, être pieux... Toutes ces choses peuvent être bonnes si elles proviennent du désir de l'âme. Mais elles ne correspondent pas à votre voie si vous les accomplissez pour répondre à une certaine image produite par l'ego ou la personnalité. Observez-vous et répondez-vous :«Si la société n'avait aucune image ou idée sur ce qui est juste et bon, que feriez-vous de votre vie?» L'aspect extérieur est trop prédominant dans votre culture par rapport à la paix intérieure, la joie, l'amour, la compassion. La sensation de *temps* envahit tout — il faut faire telle ou telle autre chose avant un certain âge, autrement c'est l'échec. Vous vivez sous la pression constante où tout doit être fait rapidement. Je vous affirme que vous avez tout le temps nécessaire si vous agissez en accord avec votre idéal.

Vous pouvez vous détendre et voir que, chaque jour, vous disposez de tout le temps nécessaire pour accomplir vos buts. Si vous sentez que vous n'avez pas fait ce que vous désiriez, que vous n'avez pas eu assez de temps, je vous dirai que ce que vous faisiez n'était pas dans vos buts. Lorsque vous créez cet idéal, vous avez tout le temps nécessaire puisque c'est vous qui créez ce temps. Vous trouverez tant de joie à construire cet idéal que tout le reste disparaîtra, et votre détermination, votre intérêt et votre concentration seront dirigés vers cet idéal. Si vous vous forcez à faire quelque chose par obligation ou par devoir, ou encore parce que vous pensez que les autres vont vous admirer ou vous respecter, alors vous n'êtes probablement pas en train d'honorer la lumière de votre âme.

Chacun d'entre vous a un but propre et vous ne pouvez pas juger les autres sur ce qu'ils font. Chacun d'entre vous accomplit un programme particulier afin de s'épanouir. La plupart des blocages empêchant la manifestation de cet idéal provient des formes-pensées culturelles, d'un manque d'entraînement et des autres, en particulier de vos proches. Lorsque vous êtes très intime avec quelqu'un, vous avez tendance à emprunter ses buts et ses formes-pensées. Au regard de votre idéal, observez vos proches et demandez-vous si vous n'avez pas créé ce qu'ils désiraient pour vous. Etes-vous assez clair sur ce que vous désirez pour vous-même? Souvent, ceux qui vous aiment le plus sont ceux qui vous freinent le plus. Non pas au travers de leur négativité, mais par leur amour, par leur désir que vous ne soyez là que pour eux, vivant selon leurs désirs et leurs jeux. Au regard de cet idéal, demandez-vous ce que vous feriez si vous étiez seul. Si personne ne pouvait profiter ou pâtir de ce que vous faites, votre choix serait-il le même ? Que faites-*vous* pour vous-même? Qu'est-ce qui vous apporte paix et joie? Si la société n'existait pas ou avait des valeurs différentes, qu'aimeriez-vous continuer à faire? Il y a cent ans de cela, les valeurs étaient différentes. Les gens recevaient de l'admiration pour des choses qui sont actuellement sans valeur. Les croyances de la société évoluent, et si vous basez votre idéal sur ce que vous voyez autour de vous, le constant changement que cela implique ne sera pas nécessairement le reflet de votre âme.

Imaginez que vous êtes un rocher solide au milieu d'une rivière. Pour la plupart, vous vous laissez entraîner ici et là. Restez-vous bien centré et équilibré alors que le courant sévit autour de vous, ou bien, vous laissez-vous porter au gré de ce courant? Imaginez que vous avez une antenne que vous pouvez orienter vers l'idéal qui vous correspond. Quelles sont vos valeurs? Comment aimeriez-vous vous sentir? Arrêtez-vous quelques instants et demandez-vous : «Comment est-ce que je veux me sentir? Comment est-ce que veux voir l'Univers qui m'entoure? A un niveau émotionnel, contactez ce sentiment qui vous habiterait si vous étiez dans cet univers parfait. Gardez cette antenne dirigée vers votre idéal et vous resterez solide comme le roc qui laisse passer le courant autour de lui.

Croire que vous n'avez pas ce que vous désirez n'est qu'une illusion

Si vous croyez dans ce que vous voyez, alors vous croyez dans les créations du passé. Tout ce que vous avez maintenant, vous l'avez créé dans le passé. Tout ce que vous désirez peut être créé maintenant et vous pouvez choisir. Vous n'avez pas besoin de connaître dans les détails ce que vous ferez demain ou dans les jours suivants. Vous pouvez commencer par *croire* que vous avez un idéal, un but précis et vous pouvez commencer par demander à ce qu'il se dévoile. Si vous commencez par croire et agir comme si vous connaissiez ce que vous faites de votre vie, tout se mettra en place. Levez-vous demain matin en visualisant que vous êtes le capitaine de votre navire et que, durant cette journée, vous allez le diriger à votre gré. Vous prendrez tout votre temps, vous resterez avec les personnes qui vous sont agréables, vous direz «non» lorsque vous aurez envie de dire «non» et «oui» lorsque vous aurez envie de dire «oui». D'heure en heure, vous pourrez savoir si vous êtes dans la joie et la paix ou dans ce que vous désirez ressentir.

Certains disent que leur idéal est d'aider et de servir les autres. C'est un très bon et véritable idéal si le Soi est bien centré et si vous faites attention à votre vie personnelle. En prenant soin de *vous-même*, en vous plaçant dans des environnements qui sont source de paix et de sérénité, de beauté et d'harmonie, vous êtes dans une situation bien meilleure pour aider les autres que si vous vous occupez uniquement de rendre les autres heureux en vous oubliant. Si chaque personne vit dans un espace d'harmonie et de beauté, en contact avec son être suprême, la société serait complètement différente. Pour l'instant, regardez vos choix et décidez, à cette minute, de créer le monde que vous désirez. Allez à l'intérieur de vous-même pour trouver cette force, cette partie de vous-même qui a toujours été capable de créer ce que vous désiriez et sentez-la devenir encore plus forte. Le plus grand cadeau que vous puissiez faire est de rendre votre vie opérante.

Les changements et les transitions sont souvent précédés de confusion, de sensation de perte, de douleur ou du sentiment que tout s'effondre autour de vous. Cela provient du fait que votre société ne vous habitue pas à vous détacher et à abandonner ce qui ne vous est plus nécessaire. Vous cultivez une immense forme-pensée de manque, ce qui rend encore plus difficile cet abandon qui vous fait penser que rien de mieux ne va remplacer ce que vous laissez. Si vous vous centrez sur ce que vous voulez, si vous reconnaissez que ce que vous avez est une création de votre passé et peut être *facilement* changé, alors votre futur sera exactement comme vous le choisissez.

Emplissez vos pensées de ce que vous désirez créer et vous l'obtiendrez

Il y a souvent un décalage entre une nouvelle pensée et sa matérialisation; cela trouble et amène les gens à arrêter cette pensée nouvelle. Les pensées sont réelles; elles se promènent pour créer ce qu'elles sont et elles existent dans le temps. Aussi, les pensées du passé peuvent continuer à vous affecter, même si vous changez votre façon de penser. Quoi qu'il en soit, en l'espace de deux ou trois mois, les nouvelles pensées auront généré une force suffisante pour créer leurs matérialisations. Honorez-vous en tant qu'individu unique. En présence d'autres personnes, ne comparez pas votre chemin au leur. Souvent, vous comparez ce qu'elles font de leur vie à ce que vous faites de la vôtre, et ainsi vous vous sentez supérieur ou inférieur. Au lieu de cela, allez en vous-même et regardez votre chemin le plus élevé; vous pouvez alors le comparer à ce qu'il est pour le moment. Vous lisez dans les journaux ce qui se passe pour d'autres personnes et vous pensez : «Cela peut m'arriver». Vous n'avez pas leurs pensées, vous n'êtes pas eux. Quoi qu'il arrive aux autres, cela leur arrive parce qu'ils sont eux. Si vous entendez les récits d'autres personnes, ne les gardez pas dans votre propre espace, mais questionnez-vous plutôt : «Comment puis-je être vrai envers moi-même? Quelle est *ma* vérité? Chaque personne a un chemin particulier qui est une expression unique de la force de vie.

L'idéal se trouve sur le chemin que vous décidez de prendre, parce qu'il existe toujours le libre-arbitre

Vous choisissez certaines conditions et vous désirez certaines choses. Vous pouvez obtenir tout ce que vous désirez si vous êtes capable de garder cette vision et si vous croyez en vous-même sans défaillir. Plus vous êtes assuré dans votre confiance à vous-même, meilleurs seront les résultats. Cela serait facile s'il n'y avait pas de préparations ou d'essais en cours de route. Honorez chaque préparation, chaque défi et chaque difficulté, parce qu'ils renforcent votre idéal. Ils vous donnent les possibilités de vous engager plus intensément dans votre vision et même de devenir plus clair dans vos intentions. Si la vie était trop simple ou trop facile, la plupart d'entre vous s'ennuieraient. Honorez vos défis parce que ces espaces que vous dites «sans fond» sont là pour vous apporter plus de lumière, pour vous renforcer, pour affermir votre résolution et pour faire fleurir le meilleur de vous-même.

Pour quoi êtes-vous ici ?

1 - Fermez les yeux et laissez une image, un symbole, représentant le but de votre présence sur Terre, venir à votre esprit :

2 - Portez ce symbole à votre cœur. Demandez aux forces de l'Univers de lui insuffler plus de force et de vie. Dessinez ce symbole :

3 - Imaginez votre symbole changeant de couleur, de texture ou de taille; laissez-le vous parler avec sagesse afin qu'il vous montre comment vous pouvez le libérer et aider l'humanité :

EPILOGUE

Meilleurs vœux de la part d'Orin! Maintenant que vous vous êtes joint à moi au travers de ce livre «Choisir La Joie», je vous invite à explorer le monde des énergies invisibles qui vous entourent. Dans mon prochain livre, publié par H.J. Kramer (paru chez Ronan Denniel éditeur pour l'édition française) nous travaillerons avec vos mondes intérieurs, explorant vos capacités intuitives, télépathiques et votre don de guérison, à libérer des souffrances, à vivre l'amour inconditionnel et à sentir l'énergie des autres personnes. Ces livres sont conçus pour être utilisés comme des cours d'évolution spirituelle. Chaque livre vous portera encore plus haut et vous aidera à accélérer votre évolution personnelle. De nombreuses capacités s'éveillent en vous qui êtes sur cette voie de la haute conscience et de la transformation personnelle. Beaucoup de choses se trouvent au-delà de vos cinq sens. Vous pouvez mieux connaître l'Univers grâce à votre vision intérieure; vous serez conscient des énergies non-visibles de l'Univers et vous les utiliserez pour qu'elles vous aident à créer la vie comme vous la choisissez.

Il est inutile de vous laisser affecter par les mauvaises humeurs, les colères ou les négativités des autres personnes. Vous pouvez apprendre à guérir ces énergies négatives, à aider les autres à élever leur conscience, à transformer vos relations et à découvrir la manière de vous relier avec les énergies subtiles de l'Univers. Vous pouvez devenir conscient de votre propre énergie, vous débarrasser de toute peur, rester centré sur le positif en dépit de la négativité des autres, créer les images que vous voulez que les autres aient de vous et trouver votre plus profonde vérité pour la communiquer aux autres.

En explorant vos capacités télépathiques, vous pouvez contrôler les messages que vous émettez et savoir ce que vous devez faire lorsque les autres vous attirent à eux ou vous repoussent; vous pouvez aussi diriger et interpréter les messages non-verbaux que vous recevez sans cesse. Vous pouvez devenir conscient des guidances intérieures que vous recevez et apprendre à appeler votre âme ou votre guide pour ces conseils. Nous prêtons attention à votre esprit et à ses dialogues intérieurs; nous vous montrerons comment avoir les pensées que vous voulez, comment élaborer vos images intérieures et comment passer de l'énergie dense, où les choses sont lourdes, à des niveaux plus élevés, où existent la joie, la paix et l'abondance.

En apprenant à vivre avec plus de conscience et de joie, vous découvrirez la sagesse qui consiste à reconnaître ce qui est réel de ce qui ne l'est pas, ce qui est vous de ce qui ne l'est pas. C'est un apprentissage pour mener l'inconscient vers une plus grande conscience. Vous saurez reconnaître ce qui vous élève, et ce qui vous embourbe. En apprenant à contrôler votre énergie, vous resterez plus ouvert et plus vulnérable, puisqu'il n'est plus nécessaire de vous protéger et de vous défendre.

Vous devenez votre meilleur ami et enseignant; vous disposez de tout ce dont vous avez besoin pour trouver vos propres réponses. Je vous offre cela comme une guidance sur votre chemin, comme une contribution à votre quête des espaces d'énergie plus élevés.

Dans la paix et l'amour,
Orin

Si vous désirez recevoir des informations en anglais sur le travail d'Orin avec les programmes sur cassettes, vous pouvez demander la brochure contenant ces renseignement en écrivant à :

LuminEssence Productions
PO Box 19117   Oackland
CA. 94619   USA
Tél : (510) 482 4560   Fax : (510) 530 9620

Sanaya Roman est le médium d'Orin. Pour transcrire son enseignement, trois livres sont publiés dans la collection :

"LA SAGESSE D'ORIN"
- Choisir La Joie
- Choisir La Conscience
- Chosir L'Eveil

Elle a écrit aussi deux autres livres, avec la collaboration de Duane Packer, édités aux éditions Vivez Soleil (Suisse) :
- Manuel de Communication Spirituelle
- Créer l'Abondance

AUTRES OUVRAGES CHEZ
RONAN DENNIEL éditeur

Qui que vous soyez, ces trois livres sauront vous aider sur votre chemin.

Ecrits dans un langage clair et concis, ils sont essentiellement pratiques. La spiritualité vous ouvre ses portes au travers de ces trois livres riches de sagesse et d'enseignement.

Chacun d'eux est déjà un "best-seller".

CHOISIR LA JOIE
Sanaya Roman   91 F

CHOISIR LA CONSCIENCE
Sanaya Roman   95 F

CHOISIR L'EVEIL
Sanaya Roman   122 F

L'Amour Qui Guérit B&G Davis 84 F

Ce récit emporte le lecteur à travers un véritable voyage initiatique moderne.

Bruce Davis raconte une période essentielle de sa vie: c'est d'abord la rencontre avec la femme de ses rêves, Genny; c'est aussi l'initiation de ce couple à la sagesse des chamans esquimaux; c'est enfin l'exploration des fabuleux pouvoirs des guérisseurs philippins et, à travers eux, la découverte de cet amour qui guérit.

Re-Naître ou les secrets de la purification par l'air, l'eau, la lumière et les sons 47 F

Ce livre est le fruit d'une transcription d'enseignements reçus sous forme de messages par des praticiens de la technique de respiration et de pensée positive appelée Rebirthing.

Kevin Ryerson, le célèbre médium de Shirley Mac Laine, vous parle des chakras et de l'immortalité.

Un livre inspiré… Un livre pour bien respirer.

L'art du Rebirthing

La Respiration Consciente, ou Rebirthing, nous amène à retrouver cette libre respiration, source de santé et de vitalité. Par une technique douce et profonde, nous retrouvons cet espace du souffle spontané.

Cette technique libère le corps des mémoires enfouies, des émotions réprimées et des pensées limitantes. Grâce à une pratique régulière de la Respiration Consciente, nous pouvons intégrer toutes les dimensions de notre être et jouir ainsi d'une vie rayonnante d'énergie.

Le Livre Des Méditations
Osho Rajneesh 82 F

"La méditation n'est pas un voyage dans l'espace ou dans le temps mais l'éveil à l'instant présent."

Uniques dans leur originalité et leur simplicité, ces méditations reflètent la connaissance d'Osho et sa vision de la nature profonde de l'être humain.

Ce livre offre une synthèse entre l'approche orientale de la méditation et les techniques de la psychologie moderne.

Faire Le Pas   Anne-Marie de Vinci

Faire le pas, c'est apprendre à découvrir vos motivations profondes et à prendre appui sur ce qui vous construit. Le titre de ce livre est déjà très parlant par lui-même. Son contenu peut vous projeter hors des remparts de vos limites. Faire le pas, c'est devenir entièrement responsable de votre vie et être engagé(e) personnellement afin de réaliser votre plein potentiel, ici et maintenant. (*Parution janvier 96.*)

Les Purifications Spirituelles
Urwana Shandar

Ce livre vous enseigne, à travers différents processus et rites simples à pratiquer, la manière de vous prendre en charge et de vous purifier.

L'objectif essentiel consiste à accéder à une prise de conscience au quotidien de vos énergies et du monde que vous habitez.

Ce livre vous invite à passer à la pratique pour réaliser une parfaite harmonie. (*Parution mars 96.*)

Distribution auprès des Libraires :

France, Belgique & Suisse :
Dauphin Diffusion Paris

Belgique : Nord-Sud

Suisse : Transat SA

Canada : Distributions Nouvel-Age

Autres ouvrages parus chez l'éditeur :

— RENAITRE
  ou les secrets de la purification
— CRISTAL ET SANTE
  de John D. Rea
— L'AMOUR QUI GUERIT
  de B. & G. Davis
— CHOISIR LA JOIE
  de Sanaya Roman
— CHOISIR LA CONSCIENCE
  de Sanaya Roman
— CHOISIR L'EVEIL
  de Sanaya Roman
— LA RESPIRATION CONSCIENTE
  de Anne-Marie de Vinci

à Paraître en 1994

— LA PSYCHOLOGIE SPIRITUELLE
  de Anne-Marie de Vinci
—LES PURIFICATIONS SPIRITUELLES
  du Dr Dometa

Diffusion
France : Dauphin Diffusion, Paris
Suisse : Transat SA, Genève
Belgique : Nord-Sud, Bruxelles
Canada: Les Distributions Nouvel-Age, La Prairie-Montréal